De si belles fiançailles

Mary Higgins Clark
et Alafair Burke

De si belles fiançailles

ROMAN

Traduit de l'anglais (États-Unis)
par Anne Damour

Albin Michel

Ce livre est un ouvrage de fiction. Toute ressemblance avec des faits avérés, des lieux existants ou des personnes réelles, vivantes ou décédées, serait purement fortuite.

Pour mon premier arrière-petit-enfant,
William Warren Clark.
Bienvenue dans le monde, Will!
Mary

Pour David et Hiedi Lesh
Merci!
Alafair

Prologue

CAROLINE RADCLIFFE, entendant un hurlement dans la pièce où jouaient les enfants, faillit lâcher une des soucoupes qu'elle rangeait dans le buffet. Elle regretta aussitôt de les avoir laissés sans surveillance, ne serait-ce qu'un instant. Elle s'était attardée à la fenêtre, à contempler les premiers signes de l'arrivée du printemps, se réjouissant à la perspective de passer plus de temps en plein air avec eux.

En se dirigeant vers la pièce d'où venaient les cris, elle vit arriver en trombe Bobby, quatre ans, l'air réjoui. Dans la salle de jeux, la petite Mindy, deux ans, pleurnichait, ses yeux bleus fixant avec désespoir l'amas de cubes éparpillés entre ses jambes.

Caroline ne mit pas longtemps à comprendre. Bobby était un gamin adorable mais il prenait un malin plaisir à inventer mille farces pour tourmenter sa petite sœur. Elle était parfois tentée de lui dire que les filles trouvent un jour ou l'autre le moyen de remettre les pendules à l'heure, mais elle se disait qu'étant frère et sœur, après tout ils finiraient par se débrouiller tout seuls.

« C'est pas grave, mon petit lapin, dit-elle d'un ton apaisant. Je vais t'aider à tout remettre en place, comme avant. »

Mais la moue désolée de l'enfant se transforma en pleurs et elle repoussa la pile de cubes. « Plus », s'écria-t-elle. Suivi de l'inévitable appel désespéré : « Maman. »

Caroline soupira et se pencha pour hisser Mindy sur sa hanche, l'enlaçant jusqu'à ce qu'elle se calme et que sa respiration entrecoupée de hoquets reprenne son rythme normal.

« Là, là, dit-elle, je retrouve ma petite Mindy. »

Le père des enfants, le Dr Martin Bell, avait clairement demandé à Caroline de ne pas les traiter comme des bébés. À ses yeux, cela impliquait aussi ne pas prendre Mindy dans ses bras chaque fois qu'elle pleurait.

« C'est une simple affaire de récompense et de punition, disait-il. Il ne s'agit pas de comparer un enfant à un chien – mais, bon, c'est ainsi qu'on dresse les animaux. Elle aime se faire câliner. Si vous le faites chaque fois qu'elle pique une crise, elle va se mettre à pleurer nuit et jour. »

Pour commencer, Caroline n'aimait pas qu'on compare les enfants à des chiens. Elle avait soixante ans et quelques connaissances en matière d'éducation. Elle-même était mère de deux enfants aujourd'hui adultes et avait servi de nounou à six autres gamins. Les Bell étaient la quatrième famille qui l'employait et, à son avis, Bobby et Mindy méritaient davantage de preuves d'affection. Le père travaillait toute la journée et avait imposé quantité de règles domestiques, y compris concernant la pédagogie. Et la mère – eh bien, la mère traversait manifestement une période difficile, raison pour laquelle Caroline s'occupait des deux petits.

« Bobby. » Elle l'avait entendu monter quatre à quatre l'escalier. « Bobby ! » cria-t-elle. En l'absence du Dr Bell, ils pouvaient faire du bruit sans être rappelés à l'ordre. « Je ne suis pas contente, jeune homme, et tu sais très bien pourquoi. »

Si Caroline avait un faible pour ces deux enfants, elle ne se laissait pas totalement embobiner.

Elle reposa Mindy sur le sol et attendit son frère au pied de l'escalier. À chaque marche, Bobby ralentissait le pas, essayant de retarder l'inévitable. Mindy regardait tour à tour sa nounou et son frère, hésitante, se demandant ce qui allait suivre.

« Ça suffit », dit Caroline à Bobby d'un ton sévère en montrant sa sœur. « Tu n'es pas gentil.

– Pardon, Mindy, marmonna le petit garçon.

– Je ne suis pas sûre d'avoir bien entendu, dit Caroline.

– Pardon d'avoir renversé tes cubes. »

Caroline attendit qu'il ait embrassé sa sœur à regret. Mais Mindy était encore fâchée et se moquait de ses excuses. Elle continua à pleurnicher. « Tu es méchant, Bobby. »

La scène fut interrompue par le roulement du portail électrique du sous-sol. De toutes les maisons où Caroline avait travaillé, celle-ci était certainement la plus belle. Jadis destinée à abriter les voitures à cheval, cette ancienne remise du dix-neuvième siècle avait été aménagée de manière ultramoderne et comprenait même, luxe suprême à Manhattan, un garage privé au rez-de-chaussée.

Papa était rentré.

« Et maintenant, peut-être pouvez-vous ranger tout ce désordre avant que votre père le voie. »

Pan ! Pan ! Pan !

Le cri de Caroline terrifia les enfants, qui se mirent à pleurer de concert.

« Ce sont des pétards », dit-elle calmement, bien que son cœur tambourinât dans sa poitrine car elle avait deviné que sa première intuition était la bonne. « Montez dans votre chambre, je vais voir d'où vient ce vacarme. »

Elle attendit qu'ils aient atteint le milieu de l'escalier pour courir vers la porte d'entrée, dévaler les marches du perron et se précipiter dans l'allée. Le plafonnier de la BMW du Dr Bell était allumé, la portière côté conducteur à moitié ouverte. Le médecin était affalé sur son volant.

Elle s'avança. Et vit le sang, assez pour se rendre compte que le Dr Bell n'était plus en vie.

Terrifiée, elle s'élança dans la maison, composa le 911, indiqua précipitamment l'adresse des Bell à l'opérateur. C'est seulement en raccrochant qu'elle pensa à Kendra, en haut, plongée dans son habituel état d'hébétude.

Mon Dieu, qui va prévenir les enfants ?

1

Cinq ans plus tard, Caroline travaillait toujours dans la même maison, mais presque tout avait changé. Mindy et Bobby n'étaient plus ses petits poussins. Ils n'étaient plus en maternelle. Ils pleuraient très rarement, même quand on prononçait le nom de leur père.

Et Mme Bell – Kendra, comme l'appelait Caroline désormais – était devenue une femme complètement différente. Elle ne passait plus ses journées à dormir, c'était une mère attentive et elle travaillait. Raison pour laquelle elle faisait appel à Caroline pour aller chercher les enfants deux fois par semaine chez leurs grands-parents, dans leur appartement de l'Upper East Side. Une obligation qui ne réjouissait personne. Comparé à ses parents, le Dr Bell avait été une crème.

Caroline sortait de l'appartement et s'avançait vers l'ascenseur quand elle entendit la grand-mère des enfants l'appeler. Elle se retourna et vit les deux grands-parents debout côte à côte sur le seuil de la porte. Maigre au point de paraître décharné, le cheveu rare coiffé sur le côté, le Dr Bell, ancien chef du service de chirurgie vasculaire du prestigieux hôpital Mount Sinai, supportait difficilement que le monde ne se plie pas à ses désirs. Neuf ans après avoir pris sa retraite, il avait toujours la mine renfrognée qu'il arborait jadis à l'hôpital.

Âgée de quatre-vingts ans, Cynthia Bell avait quant à elle perdu sa beauté. De trop longues heures passées au soleil l'avaient gratifiée d'une peau sèche et ridée. Ses lèvres tombantes lui donnaient en permanence l'air boudeur.

« Oui ? demanda Caroline.

– Kendra a-t-elle seulement *essayé* d'intéresser cette productrice de télévision au cas de Martin ? » s'enquit le Dr Bell.

Caroline sourit poliment. « Ce n'est vraiment pas à moi de dire à qui parle Mme Bell.

– Vous voulez dire *Kendra* », la reprit-il sèchement. « Ma femme est la seule Mme Bell. Cette femme n'est plus mariée à mon fils depuis qu'il a été abattu devant sa porte. »

Caroline s'efforça de garder une expression aimable. Certes, elle n'avait pas oublié la scène qui avait éclaté six mois auparavant dans le salon de Kendra au sujet de cette productrice de télévision. Robert et Cynthia avaient demandé à passer chez elle en fin d'après-midi après le spectacle de danse de Mindy. Ils avaient évoqué avec elle

16

Suspicion, une émission de télévision qui s'intéressait à des affaires criminelles non résolues. Sans en avertir Kendra, ils avaient en effet envoyé une lettre à la production, leur demandant de se pencher sur le meurtre jamais élucidé de Martin.

La Mme Bell officielle intervint : « Kendra nous a raconté que la productrice, une femme du nom de Laurie Moran, ne s'était pas montrée intéressée. »

Caroline hocha la tête. « C'est apparemment ce qui s'est passé. Kendra en a été aussi navrée que vous. Et maintenant, il faut que je reconduise vos petits-enfants avant de pouvoir rentrer chez moi », ajouta-t-elle, bien qu'elle n'eût jamais été avare de ses heures.

Dans l'ascenseur qui la ramenait du penthouse des Bell jusqu'au hall de l'immeuble, elle pressentit que le couple n'allait pas laisser tomber l'affaire. Elle entendrait sûrement encore parler de Laurie Moran.

2

LAURIE MORAN pédalait en rythme au son d'une musique techno à vous briser les tympans dans une salle éclairée comme une boîte des années 70. Son voisin de gauche poussa un énième « Woooo ! » que Laurie jugea parfaitement inefficace en termes de santé.

À sa droite, son amie Charlotte – qui avait suggéré cette séance de spinning – souriait malicieusement tout en s'essuyant le front avec une petite serviette. Sa voix n'arrivait pas à couvrir la musique, mais Laurie pouvait lire sur ses lèvres : « Tu adores, hein ! » Un peu plus loin, Linda Webster-Cennerazzo semblait aussi exténuée qu'elle.

En réalité, Laurie était très loin d'adorer ça. Elle éprouva un bref soulagement quand la musique entama un air connu, mais au même moment le moniteur, un modèle d'athlète bronzé, leur cria : « Tournez les manettes, les amis ! On attaque une nouvelle côte ! »

Laurie baissa la main vers le cadre de son vélo mais fit rapidement deux tours à gauche au lieu de deux à droite. Pas question d'augmenter le réglage de la résistance, surtout si on sait qu'on n'est pas fait pour ce genre d'exercice.

Quand la torture prit fin, elle sortit avec les autres adeptes du fitness, à bout de souffle, et suivit Charlotte et Linda jusqu'au vestiaire. Le club ne ressemblait à aucun de ceux qu'elle avait fréquentés, avec ses serviettes parfumées à l'eucalyptus, ses peignoirs moelleux et sa cascade près du sauna.

Laurie ne mit pas plus de dix minutes à se refaire une beauté, shampouiner ses cheveux à la coupe au carré pratique, appliquer un peu de crème hydratante sur sa peau et un peu de mascara sur ses cils. Elle se reposa sur la chaise longue en cèdre pendant que Charlotte mettait une dernière touche à son maquillage.

« Je n'arrive pas à croire que tu subis ce supplice quatre fois par semaine, dit-elle à son amie.

— Moi non plus, renchérit Linda.

— Et les trois autres jours, je fais du cross-training, ajouta Charlotte.

— Arrête de te vanter, dit Linda avec une certaine irritation.

— Écoute, j'ai finalement décidé de faire ce genre d'exercice parce que je reste assise à mon bureau du matin au soir quand je ne dîne pas avec des clients. Vous deux, vous passez votre temps à courir à droite et à gauche.

– À qui le dis-tu ! » répliqua Linda en se dirigeant vers la douche.

Laurie savait que Charlotte devait être en parfaite forme physique. Cela faisait partie de ses obligations professionnelles. Elle dirigeait le bureau de New York de l'entreprise familiale, Ladyform, un des fabricants les plus importants de vêtements de sport de luxe.

« Si je reviens un jour ici, j'irai m'asseoir dans le bain nordique près de la cascade et je vous laisserai transpirer à votre aise.

– C'est ton droit, Laurie. À mon avis, tu es parfaite comme tu es. Mais c'est toi qui as dit vouloir être au top avant le grand jour.

– Ce ne sera pas un grand mariage, corrigea Laurie. Et je ne sais pas à quoi je pensais. Les magazines féminins nous polluent le cerveau : robes de grands couturiers, fleurs à foison, kilomètres de tulle ! C'est ridicule. J'ai retrouvé mon bon sens. »

En évoquant son mariage imminent avec Alex, Laurie fut envahie d'une onde de bonheur. Elle s'efforça de répondre le plus posément possible à Charlotte : « Quand Timmy aura terminé son année scolaire, nous ferons un petit voyage en famille. »

Charlotte secoua la tête d'un air contrarié en fourrant un tube de gel pour les cheveux dans son sac à dos en cuir noir. « Laurie, crois-moi. Laisse tomber le "petit voyage en famille". Alex et toi devez partir en *voyage de noces.*

Tous les deux. Célébrer l'événement au champagne. Et Leo sera trop heureux de prendre soin de Timmy pendant votre absence. »

Laurie s'aperçut qu'une femme dans la rangée voisine les écoutait et elle baissa le ton : « Charlotte, nous avons eu un grand mariage, Greg et moi. Je préférerais me marier sans cérémonie cette fois. Ce qui compte, c'est qu'Alex et moi soyons enfin réunis. Pour de bon. »

Elle avait fait la connaissance de l'avocat Alex Buckley à l'époque où elle l'avait engagé comme présentateur de l'émission *Suspicion*. Il était devenu son plus proche confident, dans le travail mais pas seulement. Quand il avait cessé de collaborer à l'émission pour reprendre à plein temps ses fonctions d'avocat, Laurie avait douté de la place qu'il occupait réellement dans sa vie. Elle avait connu le grand amour avec Greg et, après l'avoir perdu, avait poursuivi son chemin en combinant les exigences de sa carrière et sa vie de mère célibataire. Elle s'estimait parfaitement satisfaite jusqu'au jour où Alex avait clairement laissé entendre qu'il désirait davantage.

Pour finir, après une pause de trois mois, elle s'était rendu compte qu'elle était malheureuse sans Alex. Et c'était elle qui l'avait appelé et invité à dîner, certaine, lorsqu'elle avait raccroché, d'avoir pris la bonne décision. Et ils étaient fiancés depuis deux mois. Elle était déjà habituée au solitaire monté sur platine qu'Alex avait choisi.

Elle ne se souvenait pas lui avoir jamais demandé ce dont *lui-même* avait envie.

Elle tentait de s'imaginer descendant la longue allée centrale en élégante robe blanche, mais elle ne voyait qu'une chose : Greg l'attendant devant l'autel. Quand elle se figurait en train d'échanger des vœux de bonheur avec Alex, elle se voyait avec lui quelque part en plein air, parmi les fleurs, peut-être même pieds nus sur une plage. Elle voulait quelque chose de spécial, différent de ce qu'elle avait eu avec Greg. Mais, une fois encore, c'était ce qu'elle désirait, *elle*.

Elle arrivait à la porte de son bureau quand elle s'aperçut que son assistante, Grace Garcia, cherchait à attirer son attention. « Hello. La Terre appelle Laurie ! Tu es là ? »

Elle cilla et revint à la réalité. « Excuse-moi, je crois que la séance de spinning où m'a entraînée Charlotte m'a complètement étourdie. »

Grace fixait sur elle ses grands yeux de chat parfaitement maquillés. Ses longs cheveux noirs étaient gracieusement ramenés sur le sommet de la tête et elle portait une robe portefeuille avantageuse et des bottes montantes – avec des talons de sept centimètres, pratiquement plats au regard de ses standards habituels.

« Ces adeptes du body bike, c'est une vraie secte, dit-elle avec dédain. Avec leurs braillements et leurs encouragements à tout bout de champ. Et leurs tenues ridicules, comme s'ils faisaient le Tour de France. Réveille-toi, miss, tu es sur la Cinquième Avenue.

– Pas mon style, en tout cas. Tu disais quelque chose ?

– Oui. Des visiteurs t'attendent depuis ce matin. La sécurité m'a dit qu'ils s'étaient pointés avant huit heures et étaient décidés à patienter jusqu'à ton retour. »

Laurie se réjouissait du succès de son émission, mais se serait volontiers passée des avantages annexes tels que l'arrivée impromptue au studio de fans de selfies et d'autographes.

« Tu es sûre que ce ne sont pas des admirateurs de Ryan ? » Apparemment aussi populaire qu'Alex en son temps auprès des spectateurs, son successeur, Ryan Nichols, était considéré comme « canon » par la jeune génération.

« Non, c'est bien toi qu'ils veulent voir. Tu te souviens de l'affaire Martin Bell ?

– Bien sûr. »

Quelques mois plus tôt, Laurie avait pensé que ce serait un cas parfait pour *Suspicion* – un célèbre médecin assassiné dans sa voiture, devant sa maison, alors que sa femme et ses enfants se trouvaient à quelques mètres de là.

« Ce sont ses parents qui t'attendent. On les a installés dans la salle de conférences B. Ils disent que c'est sa femme qui a tué leur fils et ils veulent que tu le prouves. »

3

C E QUE GRACE appelait la « salle de conférences B »
avait pris le titre officiel de salle de conférences
Bernard B. Holder. Le directeur des studios, Brett Young,
l'avait baptisée ainsi au moment où Holder avait pris sa
retraite l'année précédente. Holder avait travaillé aux
studios Fisher Blake pendant encore plus longtemps que
Brett, supervisant des émissions aussi variées que des soap
operas, des débats politiques animés entre journalistes, et
une nouvelle forme de téléréalité qui n'avait rien de réaliste.

Grace, cependant, en était restée à l'ancien nom. Laurie s'était souvent retenue de reprocher ouvertement à
Bernard B. Holder ses plaisanteries déplacées aux dépens
de Grace, mais celle-ci se contentait de sourire poliment.
« Je serai encore là longtemps après lui », disait-elle. Et
elle avait raison.

Des éclats de voix lui parvinrent à travers la porte. Laurie s'immobilisa avant de tourner la poignée. Une femme

parlait de passer à autre chose et d'en finir, pour le bien des enfants. « Je ne peux pas supporter que le nom de la famille soit mêlé à un scandale. » On distinguait mieux la voix de l'homme, chargée de colère et d'amertume : « Qu'est-ce qu'on en a à faire, du nom de la famille ? Elle a assassiné notre fils ! »

Laurie compta jusqu'à dix avant de pénétrer dans la salle. Mme Bell était assise bien droite dans son fauteuil, son mari était apparemment debout depuis un moment.

Laurie se présenta.

« Dr Robert Bell. » Sa poignée de main fut ferme mais brève.

Celle de sa femme, à peine une légère pression. « Appelez-moi Cynthia », dit-elle doucement.

Laurie vit que Grace avait déjà joué le rôle d'hôtesse. Ils avaient devant eux des gobelets de carton entourés d'une bague de protection contre la chaleur.

« Mon assistante m'a dit que vous étiez arrivés tôt ce matin. »

Le regard du Dr Bell était glacial. « Pour être franc, madame Moran, nous avons pensé que c'était la seule façon d'être sûrs de vous rencontrer. »

Il était clair que dans le couple, au moins l'un des deux la considérait comme une ennemie, et elle ignorait pourquoi. Tout ce qu'elle savait, c'était que Robert et Cynthia Bell avaient perdu leur fils unique, qui avait été assassiné, et qu'elle devait se montrer le plus aimable possible avec eux.

« Je vous en prie, appelez-moi Laurie. Et veuillez vous asseoir, docteur, vous serez mieux », ajouta-t-elle en désignant le fauteuil inoccupé à côté de sa femme. Il lui jeta un regard soupçonneux, mais Laurie avait toujours su mettre les gens à l'aise. Elle le sentit se détendre tandis qu'il prenait place dans l'un des sièges en cuir de la pièce. « Je présume que votre présence ici est liée à votre fils. Je connais bien l'affaire.

– J'imagine », répliqua-t-il sèchement, s'attirant un regard réprobateur de sa femme.

« Excusez-moi. Je suis sûr que vous êtes très occupée. Mais il aurait été étrange que vous ne connaissiez pas le nom de mon fils ni les circonstances de sa mort tragique. Après tout, c'est nous qui vous avions contactée. Nous avions écrit ensemble, en pesant chacun de nos mots, la lettre que nous vous avons envoyée. » Il saisit la main de sa femme posée sur la table. « Cela n'a pas été facile, vous savez, de revivre les détails de cette horrible nuit. Nous avons dû identifier le corps de notre unique enfant. C'est injuste. Nous ne sommes pas censés survivre à la génération qui nous suit.

– Nous sommes restés sans enfant pendant des années, ajouta Cynthia. Nous avions perdu tout espoir d'en avoir. Et puis, à l'âge de quarante ans, je suis tombée enceinte. Martin a été un miracle pour nous. »

Laurie hocha la tête sans rien dire. Écouter en silence était parfois la marque de compassion la plus sincère qu'on pouvait donner aux proches d'une victime. Elle le savait d'expérience.

Cynthia s'éclaircit la voix avant de continuer : « Nous voulions seulement entendre vos explications. Pourquoi refusez-vous de nous aider à démasquer le meurtrier de notre fils ? Vous avez aidé tant d'autres familles. Notre fils n'en vaut-il pas la peine ? »

Un des aspects les plus pénibles du travail de Laurie était de trier les lettres, mails, posts de Facebook et tweets que lui adressaient les survivants. Tant d'homicides restaient irrésolus. Tant de gens avaient simplement disparu. Leurs familles ou amis adressaient à Laurie des chronologies détaillées du drame, accompagnées de biographies de ceux qui avaient perdu la vie. Des photos de remises de diplômes, de bébés, des descriptions de rêves restés à jamais inachevés. Il arrivait à Laurie d'être au bord des larmes. Mais elle jugeait que contacter les familles personnellement quand elle ne donnait pas suite leur aurait fait plus de mal que de bien. Parfois, comme aujourd'hui, elles voulaient tout de même l'entendre de sa propre bouche.

« Je suis désolée. » Laurie avait souvent prononcé ces mots, pourtant c'était toujours aussi difficile. « Ce n'est pas votre fils qui est en cause. Je sais qu'il avait de jeunes enfants et que c'était un médecin très estimé. Mais nous ne retenons que quelques cas par an. Nous devons nous concentrer sur ceux que nous nous sentons capables de faire progresser quand la police a échoué.

– La police n'a abouti à rien, dit Robert. Elle n'a même pas désigné de suspect, encore moins procédé à une arrestation ou à une mise en examen. Et pendant ce temps, nous sommes forcés de voir la meurtrière de Martin élever ses enfants. »

Il n'avait pas eu besoin de nommer la suspecte. Elle savait qu'il parlait de leur ex-belle-fille. Si les détails de l'affaire restaient flous dans son esprit, Laurie se souvenait que la femme du médecin n'avait pas été heureuse en ménage et qu'elle avait soi-disant retiré de l'argent de leur compte commun pour des raisons inexpliquées.

« Mais il y a pire, ajouta Cynthia. Il est suffisamment douloureux de vivre avec la pensée que Kendra a tué notre fils et n'a pas été inquiétée. Les grands-parents, en principe, n'ont pas le droit légal d'avoir la garde de leurs petits-enfants. Le saviez-vous ? Nous avons engagé des avocats qui ont étudié le problème sous tous les angles. Jusqu'à ce qu'un tribunal la déclare coupable de la mort de Martin, elle a l'entière responsabilité des enfants. Ce qui signifie que si nous voulons voir Bobby et Mindy, nous devons nous montrer aimables avec cette femme. C'est affreux.

– Je suis sincèrement navrée, répéta Laurie, qui avait l'impression d'être un disque rayé. Ce n'est jamais une décision facile pour nous. »

Les mails que Laurie épluchait systématiquement lui avaient appris que les affaires non élucidées se comptaient par milliers. Des mystères en attente de solution. Sans aucune piste pour beaucoup d'entre eux. Aucun mobile. Aucun indice à creuser. Or, pour travailler, Laurie avait besoin d'indices. Au début, elle avait retenu la lettre des parents de Martin parce que le cas lui paraissait intéressant. Il avait l'avantage supplémentaire d'être une affaire locale. Laurie essayait de limiter ses déplacements au maximum pendant l'année scolaire de Timmy.

Malheureusement, l'affaire s'était révélée peu compatible avec le concept de l'émission. *Suspicion* nécessitait l'existence d'au moins un suspect décidé à apparaître dans l'émission et faire valoir son innocence. À la télévision, il n'y avait pas de policiers, pas d'avocats de la défense, pas de droit à conserver le silence, seulement des questions chocs. Tous les suspects n'étaient pas prêts à s'engager.

« Comme le suggère le titre de l'émission, tenta d'expliquer Laurie, nous ne pouvons guère avancer sans la participation de personnes qui ont vécu dans l'ombre du soupçon au cours des années qui ont suivi le crime.

– Il vous faut donc trouver des suspects ? voulut savoir Robert.

– C'est le genre de question que nous examinons après avoir décidé de lancer la production.

– Mais vous venez de déclarer que c'était précisément la raison pour laquelle vous ne pouviez pas vous intéresser au cas de notre fils. Que vous aviez besoin de la coopération de gens qui étaient, pour ainsi dire, soupçonnés.

– En effet.

– Alors s'il existait d'autres personnes, nous pourrions peut-être les amener à participer ?

– Je crains que ce ne soit pas nécessaire d'en arriver là. »

Laurie était coincée. Après avoir lu la lettre des Bell et parcouru rapidement les articles de presse consacrés à l'affaire, il lui avait paru évident que toute nouvelle enquête sur la mort de Martin Bell nécessiterait la coopération de sa veuve, Kendra. Si elle avait été prête à participer, Laurie aurait travaillé avec elle, la police et d'autres témoins afin d'identifier d'autres suspects éventuels et tenter d'obtenir leur participation. Mais dès lors que Kendra Bell s'y était opposée, Laurie avait laissé tomber cette histoire. Elle ne saisissait pas pourquoi les Bell s'entêtaient.

« Kendra était notre seule et unique suspecte, dit Robert. La police ne l'a jamais déclaré officiellement, mais ils ont laissé entendre que leurs soupçons se portaient sur elle. Que vous faut-il de plus ? »

Le brouillard soudain se dissipa, et Laurie sentit son intérêt s'éveiller. Elle comprit d'où venait l'incompréhension qui régnait dans la pièce.

« Et vous pensez que Kendra serait prête à participer ? demanda-t-elle, cherchant à vérifier son pressentiment.

– Absolument », s'écria Cynthia, les yeux brillants d'espoir. « Elle a été très déçue que vous ayez mis des mois à prendre votre décision, pour finir par l'évincer. Oh, je vous en prie, dites-nous que vous allez reconsidérer la question. »

Laurie sourit poliment. « Je ne peux rien vous promettre. Mais laissez-moi réexaminer l'affaire, juste pour m'assurer qu'aucune information ne m'a échappé. »

Laurie n'avait pas mis des mois à se décider, et elle n'avait certainement jamais refusé cette affaire. Kendra Bell avait menti à Robert et Cynthia. Elle était déterminée à savoir pourquoi.

4

APRÈS AVOIR reconduit les Bell jusqu'à l'ascenseur, Laurie regagna son bureau, impatiente de revoir tous les détails de l'affaire Martin Bell. Elle se souvenait de son excitation en découvrant la lettre des parents au milieu d'une pile décourageante de courrier des fans de l'émission. L'affaire semblait faite sur mesure pour *Suspicion*. Martin était, de notoriété publique, un jeune père dévoué à ses enfants et un brillant médecin issu d'une famille new-yorkaise renommée. Son père avait été chef de service au Mount Sinai et son grand-père procureur général de l'État. On pouvait voir le nom de Bell sur de nombreux immeubles aux quatre coins de l'État de New York.

Et ce fils adoré, Martin, avait été assassiné devant la porte de sa superbe maison de Greenwich Village.

Un jeune médecin brillant – père de famille – abattu de plusieurs coups de feu sans raison apparente en plein

Manhattan. Laurie avait tout naturellement pensé à Greg. Rien d'étonnant.

Pourtant les similitudes avec la mort de Greg s'arrêtaient là. Le fils de Laurie, Timmy, avait été témoin du meurtre de son père. Alors âgé de trois ans à peine, il avait été capable de fournir une description de ce qu'il avait vu – à savoir, les yeux bleus de l'assassin. Les jeunes enfants de Martin Bell, en revanche, étaient dans la maison, sous la surveillance étroite de leur nounou, et personne n'avait été témoin de la fusillade.

Et, contrairement à Kendra Bell, Laurie n'avait jamais fait partie des suspects. Bien sûr, au cours des cinq années qui s'étaient écoulées avant que l'affaire soit élucidée, elle avait quelquefois senti un regard soupçonneux s'attarder sur elle. Pour certains, le conjoint est automatiquement présumé coupable. Mais le père de Laurie, Leo, était commissaire en chef de la police de New York à l'époque. Aucun policier n'aurait osé accuser Laurie sans qu'une preuve factuelle, irréfutable, l'y autorise.

Kendra, de son côté, avait été prise dans le tourbillon médiatique des tabloïds spécialisés dans les affaires criminelles. Même avant son assassinat, Martin Bell était une célébrité. Il avait été une star du département de neurologie de l'hôpital universitaire de New York avant d'ouvrir son propre cabinet et de se consacrer au traitement de la douleur. Il était l'auteur d'un best-seller préconisant l'homéopathie, la réduction du stress et la kinésithérapie pour diminuer la douleur physique, prescrivant en dernier ressort les médicaments ou la chirurgie. Certains en étaient même venus à le considérer comme un faiseur de miracles.

Après son assassinat, le contraste entre cette image publique et celle de la femme avec laquelle il était marié n'aurait pu être plus désastreux. Des photos avaient été publiées où Kendra apparaissait l'air égaré, les cheveux en bataille. On apprit également qu'elle était une cliente régulière d'un bar de l'East Village et avait retiré d'importantes sommes d'argent du compte épargne du ménage. On rapportait aussi qu'elle était tellement défoncée au moment de la fusillade que la nounou n'était pas parvenue à la réveiller après avoir appelé le 911.

Elle avait fait la une des journaux sous le surnom de « Veuve noire » et, plus imagé, de « Maman Speed ».

À la suite des recherches préliminaires, Laurie avait pris contact avec Kendra dans l'espoir qu'elle accepterait de donner son point de vue sur l'affaire dans un grand studio de télévision. Laurie aimait croire que son émission pouvait aider la famille d'une victime à faire son deuil. Qu'elle pouvait aussi aider ceux qui étaient restés dans les limbes, ni arrêtés ni inculpés, mais marqués par le soupçon qui pesait sur eux. Les enfants de Kendra avaient grandi ; n'aurait-elle pas envie qu'ils apprennent qui avait tué leur père ? Qu'ils soient absolument certains de l'innocence de leur mère ? Laurie savait combien elle-même avait désespérément souhaité avoir les réponses à ses questions concernant le meurtre de Greg.

Mais quand elle s'était présentée chez Kendra quatre mois plus tôt pour lui faire signer un accord de participation, celle-ci avait clairement déclaré que ça ne l'intéressait pas. Elle avait invoqué toutes les raisons que Laurie avait coutume d'entendre. Elle ne voulait pas vexer la police en suggérant qu'une émission de télévision serait plus efficace que leur enquête. Elle avait enfin trouvé du travail et commencé une nouvelle vie sans Martin, et elle craignait que réveiller l'attention du public puisse déclencher une nouvelle vague de critiques à son égard. Pour finir, et c'était peut-être l'essentiel, elle avait dit que ses enfants étaient maintenant assez grands pour comprendre que leur mère passait à la télévision. Elle ne voulait pas leur infliger ça, à moins d'avoir la garantie que Laurie trouverait le meurtrier de son mari.

Bien entendu, c'était une promesse que Laurie ne pouvait pas tenir.

Tout cela paraissait parfaitement logique.

Mais aujourd'hui, Laurie disposait d'une nouvelle information.

Elle trouva Grace dans le bureau de Jerry Klein, voisin du sien. Il arrivait à Laurie d'oublier que Jerry avait été un stagiaire timide et gauche à son arrivée aux studios. Elle l'avait vu prendre peu à peu de l'assurance. Il était à présent son assistant de production et elle n'imaginait pas travailler sans lui.

« Grace vient de me parler de la visite des parents de Martin Bell ce matin », dit Jerry.

Apparemment, Laurie n'était pas la seule à se rappeler cette affaire.

« Ils semblent convaincus que Kendra est désireuse de participer à l'émission. Elle leur aurait dit que c'était *moi* qui avais refusé l'affaire. »

Comme toujours, Jerry et Grace prirent sa défense, rappelant l'enthousiasme de Laurie à l'époque.

« Pourquoi aurait-elle menti ? demanda Jerry.

– C'est bien ce que j'ai l'intention de découvrir. »

Pour la première fois, Laurie remarqua que Ryan Nichols, le présentateur de l'émission, s'attardait derrière la porte du bureau de Jerry. Il avait le don d'apparaître pile au moment opportun pour se trouver inclus dans n'importe quelle discussion. Et aussi celui d'irriter prodigieusement Laurie.

Fidèle à son habitude, il demanda : « Alors, sur qui on enquête aujourd'hui ? »

Laurie devait constamment se rappeler ses références, qui parlaient d'elles-mêmes : diplôme *magna cum laude* de l'école de droit de Harvard, suivi d'un stage à la Cour suprême, et une expérience comme procureur financier auprès du bureau du procureur général des États-Unis. Malheureusement pour elle, Ryan avait jugé que ses talents indéniables dans le domaine du droit lui permettraient d'embrasser une carrière à la télévision sans beaucoup d'expérience. Laurie, elle, avait travaillé pendant des années comme simple journaliste dans la presse avant de grimper les échelons et de devenir productrice de sa propre émission.

Ryan n'avait donc fait que de rares et brèves apparitions comme présentateur de bulletins d'information avant de décrocher ce job à plein temps au studio. Outre son rôle de présentateur de *Suspicion*, il était consultant juridique pour d'autres émissions et commençait déjà à lancer des idées de programmes. Dans le monde de la télévision, son physique était certainement un atout. Des cheveux blonds comme les blés, de grands yeux verts, un sourire ravageur – et bien entendu il obtenait toujours une place de choix devant la caméra. Mais ce qui mettait réellement Laurie hors d'elle, c'était l'incapacité de Ryan de voir que sa carrière fulgurante tenait essentiellement à l'amitié qui liait son oncle à Brett Young, le boss de Laurie. Brett était un insatisfait notoire mais, à ses yeux, tout ce que touchait Ryan se transformait en or. Bien que ce dernier ne fût officiellement que « présentateur », Brett ne cachait pas attendre de Laurie qu'elle consulte son protégé à tous les stades de la production.

« Nous étions en train de parler de l'affaire Martin Bell, dit Laurie. Ce médecin qui a été abattu devant sa maison, dans Greenwich Village. »

Laurie n'avait pas tenu Ryan au courant des recherches préliminaires qu'elle avait effectuées sur cette affaire à l'automne précédent.

« Ah, je me souviens. On avait accusé sa femme, hein ? Une affaire parfaite pour nous, vous ne croyez pas ? »

Comme s'il était le premier à y avoir pensé.

Laurie vit Grace et Jerry échanger un regard excédé. Leur exaspération à l'égard de Ryan n'avait fait que croître avec le temps, alors que Laurie avait fini par accepter son comportement – et son arrogance.

« Je me suis entretenue avec Kendra – sa femme – au moment de Thanksgiving, mais elle n'était pas partante.

– Parce qu'elle est coupable », décréta Ryan d'un ton suffisant.

Combien de fois devrait-il se tromper dans une enquête avant de commencer à faire preuve d'un peu de modestie, faillit lui demander Laurie. À la place, elle dit :

« À l'époque, elle paraissait surtout avoir le désir de garder ses enfants à l'écart de tout cela. À présent, elle semble avoir donné à ses beaux-parents une impression différente. » Elle rapporta en quelques mots la conversation qu'elle avait eue avec les Bell. « Mon intention est de la prendre au dépourvu quand elle rentrera ce soir chez elle en revenant de son bureau. Vous voulez m'accompagner ? Vous pourriez jouer le rôle du gentil flic.

– À quelle heure ?

– Pas après cinq heures pour moi. »

La prestation de serment d'Alex comme juge fédéral était prévue à six heures et demie, et il n'était pas question pour Laurie d'en manquer une seule minute.

« Ça marche, dit Ryan. Je vais potasser les comptes rendus de l'affaire. »

Ryan parti, Grace et Jerry dévisagèrent Laurie comme s'ils venaient de voir les Capulet tomber dans les bras des Montaigu.

« Qu'est-ce qui vous prend ? demanda Laurie. Si j'en crois mon intuition, Kendra m'a menti la dernière fois que nous nous sommes vues. Avoir un ex-procureur à mes côtés ne peut pas faire de mal. »

En regagnant son bureau, Laurie réfléchit qu'il y avait autre chose qu'elle avait longtemps reproché à Ryan : d'être inférieur à Alex Buckley. Maintenant qu'ils étaient fiancés, il lui manquait moins puisqu'ils allaient vivre ensemble pour toujours. Elle pourrait s'accommoder des défauts de Ryan.

5

LE DÉLAI de cinq minutes que Caroline avait accordé à Bobby pour s'amuser à son jeu vidéo préféré en rentrant de l'école était écoulé. Il manipula furtivement la trajectoire de quelques voitures de course, avant d'obéir à la demande muette de la main tendue de Caroline.

Puis il alla rejoindre sa sœur qui, confortablement assise sur le divan, achevait un puzzle qu'elle avait déjà fait des douzaines de fois. Tous deux avaient toujours été si différents. Mindy constamment perdue dans ses pensées, même bébé, tandis que son frère Bobby cherchait sans cesse des distractions.

En passant devant la baie vitrée, Caroline aperçut un groupe de touristes rassemblés sur le trottoir, le regard apparemment rivé sur l'allée déserte devant la maison. Leur guide était un garçon dégingandé aux cheveux longs coiffés en chignon serré sur le dessus de la tête. Il portait l'uniforme standard : vêtements noirs flottants et sneakers orange. Il venait là deux fois par semaine depuis presque quatre mois à présent. Il appelait son excursion le « Circuit du crime de la Grosse Pomme ».

Un jour, Caroline avait tenté de le raisonner, lui rappelant qu'un petit garçon de neuf ans et une petite fille de sept ans habitaient là. Rien à voir avec un repaire de la Mafia, le lieu où une femme s'était tuée en se jetant du haut de l'Empire State Building ou l'hôtel où une star du rock avait assassiné sa petite amie.

Le guide en avait profité pour indiquer aux touristes que Caroline était la nounou qui avait appelé le 911 après le meurtre de Martin Bell, ce qui les avait excités au point de réclamer des autographes et des selfies.

Désormais, Caroline tirait les rideaux dès qu'elle les apercevait, et constatait avec une certaine satisfaction que leur nombre semblait diminuer. Elle s'était même fendue d'un compte rendu dévastateur sur un site de tourisme très lu.

Je ferais tout pour eux, se disait-elle en son for intérieur en regardant Mindy et Bobby faire et défaire le puzzle.

Elle était en train de couper une pomme en tranches pour accompagner les bâtonnets de fromage de leur goûter quand le téléphone sonna.

Sa gorge se serra en entendant le nom de son interlocutrice. Elle se doutait bien qu'elle n'en avait pas fini avec Laurie Moran.

« Madame Bell ?

– Non. Mme Bell est à son bureau actuellement.

– Je vois. Êtes-vous Caroline Radcliffe ?

– En effet.

– Vous vous souvenez peut-être de moi, nous nous sommes brièvement rencontrées il y a quatre mois. J'étais venue m'entretenir avec Kendra Bell. »

Comment aurait-elle pu l'oublier ? Elle était restée postée en haut de l'escalier, le cœur battant, à écouter ce qui se passait au lieu de s'occuper de Bobby et de Mindy qui finissaient leurs devoirs.

Ne faites pas ça, ne faites pas ça, avait-elle répété tel un mantra, les doigts croisés, comme pour envoyer un message télépathique à Kendra dans le séjour. Elle avait éprouvé un tel soulagement quand Kendra avait donné à Laurie toutes les raisons qui l'empêchaient de participer à son émission.

« Bien sûr. Oui, je m'en souviens. Puis-je vous être utile ?

– Je crains que non. Savez-vous comment je pourrais la joindre ?

– On ne peut pas déranger Mme Bell à son travail. Moi-même je ne l'appelle qu'en cas d'urgence.

– Quand pensez-vous qu'elle sera de retour ?

– Vers cinq heures. Mais elle dînera sans doute avec les enfants et passera un certain temps avec eux avant qu'ils se couchent. Elle est très occupée. Voulez-vous me dire de quoi il s'agit, je verrai si je peux vous apporter mon aide.

— Merci, mais il est important que je lui parle en personne. »

Les Bell ne renonceraient pas. C'était certain. Leur fils avait été assassiné. Pendant des mois, elle avait entendu Kendra éluder leurs questions. *Oui ou non, vont-ils programmer l'émission ? Pourquoi leur faut-il aussi longtemps pour se décider ?* Il avait été facile de gagner du temps pendant les vacances, mais cela faisait deux mois qu'ils se montraient de plus en plus insistants. Finalement, la semaine passée, Kendra leur avait dit — elle avait menti — que les producteurs avaient déclaré le sujet inadapté à leur émission.

Que la productrice rappelle aujourd'hui n'était pas bon signe.

« Je peux prendre votre numéro et la prévenir que vous avez téléphoné », proposa tout de même Caroline.

En raccrochant, elle jeta un coup d'œil par la fenêtre. Les touristes étaient partis. Malgré tout, elle garda les rideaux tirés, bouleversée de ne pouvoir empêcher le monde extérieur de se glisser comme un serpent dans cette maison.

À l'époque, Kendra était dans un état tellement épouvantable. Mon Dieu, dites-moi qu'elle n'est pas coupable.

$\mathcal{L}$A REMISE réhabilitée était identique au souvenir que Laurie en avait gardé, à l'exception des
pivoines roses qui fleurissaient les jardinières devant les
fenêtres.

Ryan laissa échapper un petit sifflement quand ils
descendirent du 4×4 noir Uber qui les avait conduits
Downtown. « Chouette maison, fit-il. Avec garage privé
et tout le reste. Si je pouvais me payer un endroit pareil,
je m'achèterais peut-être la Porsche de mes rêves. Inutile
d'avoir une voiture de ce genre quand on se fait constamment accrocher dans son parking. »

Laurie sourit. Elle avait un salaire correct qui lui
permettait de louer un appartement comportant une
chambre pour elle et une pour Timmy, et l'assurance-
vie de Greg l'avait aidée à faire face au coût de la vie à
New York. Mais maintenant qu'Alex et elle allaient se
marier, ils envisageaient d'acheter un appartement assez

grand pour eux trois. Elle avait le sentiment que, quel que soit leur choix, il mériterait le qualificatif de « chouette », suivant les critères de Ryan.

La nounou ne cacha pas sa contrariété quand elle ouvrit la porte.

« Je vous avais dit que je communiquerais votre message à Mme Bell. »

En réalité, Laurie aurait parié qu'elle n'avait pas encore transmis le message. Elle avait apparemment dépassé la soixantaine et semblait fatiguée. Elle avait mis en plis ses cheveux châtains grisonnants et dissimulait sa silhouette massive sous une large blouse bleue. « Nous allions passer à table. »

Une merveilleuse odeur de beurre et d'ail leur parvenait de l'intérieur de la maison. « Cela sent délicieusement bon, dit Laurie. Je ne retiendrai pas longtemps Mme Bell. Mais, comme je vous l'ai dit, il s'agit d'un sujet très important. Je suis venue avec l'un de mes collègues, Ryan Nichols. Vous l'avez peut-être vu dans nos émissions. »

Laurie avait espéré que Ryan impressionnerait la nounou protectrice. La plupart des gens l'étaient à la vue de quelqu'un de tant soit peu célèbre. Caroline Radcliffe n'était clairement pas « la plupart des gens ». Elle regarda Ryan d'un œil froid, pas le moins du monde ébranlée.

« Caroline, tout va bien ? » La voix venait de l'arrière de la maison.

« Ne vous inquiétez pas... »

La nounou allait refermer la porte quand Laurie vit Kendra Bell s'avancer vers eux. « Kendra, je suis Laurie Moran. Vos beaux-parents sont venus me voir aujourd'hui. Il est clair qu'il y a eu un malentendu. »

Caroline secoua la tête au moment où Kendra la rejoignait à la porte d'entrée. « Je vous ai déjà dit que je n'étais pas intéressée, dit celle-ci.

– Je sais, répondit Laurie. Et j'ai respecté votre décision. Mais vous avez apparemment déclaré aux parents de Martin que c'était moi qui avais refusé de retenir votre cas pour notre émission. Leur dire la vérité ne me dérange pas – à savoir que vous étiez totalement opposée à ce projet il y a quelques mois – mais il m'a semblé plus correct de vous donner une chance de vous expliquer. »

Elle vit Kendra hésiter, chercher comment répondre. Elle n'avait pas envie de laisser Laurie et Ryan entrer chez elle. Mais elle avait encore moins envie que Laurie retourne voir les parents de Martin avec la vérité.

Elle ouvrit la porte.

Kendra portait encore sa tenue de travail – une blouse d'hôpital bleu foncé par-dessus un pull noir à col roulé. Ses cheveux châtain foncé étaient serrés en queue-de-cheval sur la nuque. Trente-quatre ans au moment du meurtre de son mari, donc trente-neuf aujourd'hui. D'une certaine manière, elle paraissait plus âgée, comme si elle avait vécu plusieurs vies. Un stress permanent se lisait dans les rides de son front, et une sorte de mélancolie habitait ses yeux marron. Même ainsi, elle était beaucoup plus séduisante que la pauvre créature échevelée dont l'image était apparue dans les médias. Laurie se demanda si elle-même avait eu la même apparence dans les années qui avaient suivi la mort de Greg, avant de s'accorder enfin le droit d'être de nouveau heureuse.

Après que Laurie eut présenté Ryan, Kendra les conduisit dans le living et demanda à Caroline de finir de préparer le dîner. Laurie se doutait que la nounou s'arrangerait pour écouter la conversation.

« Vous parvenez à exercer en tant que médecin ? » demanda Ryan tout de go.

Laurie et Ryan avaient rapidement passé en revue les principaux épisodes de l'affaire Martin Bell durant le trajet en voiture jusqu'au Village, mais elle n'avait donné aucun détail à Ryan sur le mode de vie actuel de sa veuve.

« Hélas, non », répondit celle-ci sur la défensive, très probablement parce que les gens réagissaient comme il venait de le faire. « Mais merci de vous être souvenu que j'avais effectivement fait des études de médecine. Ce qu'ont rapporté les médias après la mort de Martin – bon, je suis sûre que vous vous souvenez de leurs insinuations. Ils parlaient de moi comme d'une sorte de droguée ramassée dans la rue. »

Laurie lança un regard noir à Ryan. Il était censé tenir le rôle du gentil dans l'interrogatoire de ce soir, et on ne pouvait pas dire qu'il avait bien commencé.

« Vous vous êtes rencontrés à l'école de médecine, n'est-ce pas ? demanda Ryan, d'un ton radouci.

— Oui, dit Kendra avec un sourire triste. Martin adorait raconter à tout le monde notre "coup de foudre", comme il disait. »

Laurie savait que Kendra aimait aussi cette histoire, car elle la lui avait rapportée la première fois qu'elles s'étaient parlé au téléphone. C'était Laurie qui avait suggéré à Ryan de poser la question. Elle aurait préféré qu'il aborde le sujet avec plus de délicatesse.

« J'étais en dernière année à l'école de médecine, dit Kendra. Au New York Medical College, à Long Island. Martin était un conférencier invité dans ma classe de médecine physique et de rééducation. Au milieu de son intervention, son matériel de projection a rendu l'âme. Le célèbre médecin qui connaissait toujours toutes les réponses dans les émissions de télévision a soudain perdu l'usage de la parole. Le professeur et lui s'affairaient autour de l'ordinateur. D'après le récit qu'en a fait Martin, il était totalement paniqué, sachant qu'il avait à peine le temps de terminer sa conférence et avait besoin pour la conclusion de données complexes résumées dans deux tableaux. D'après lui, j'ai élégamment et calmement descendu l'allée centrale de l'amphithéâtre – je doute sérieusement avoir

48

été aussi admirable –, saisi la télécommande qu'il tenait à la main, et remplacé les piles usagées par des neuves. Je savais qu'il y en avait dans la boîte du lutrin. J'ai ensuite regagné mon siège. Ce n'était rien, en réalité, mais Martin en a conclu aussitôt que j'étais quelqu'un d'unique. »

Elle avait soudain baissé les yeux sur la table basse, comme si une autre scène se déroulait sous ses yeux. « Voyez où cela m'a menée, dit-elle tristement. Non, je ne suis pas médecin. J'ai terminé l'école, c'est vrai, et j'ai commencé mon internat – dans un bon hôpital. Au service de pédiatrie de l'université de New York. Mais Martin avait tellement envie de fonder une famille, et j'avais presque trente ans. J'aurais dû écouter les gens qui me disaient que je ne tiendrais pas le coup. J'avais l'impression que tout m'arrivait en même temps, mais maintenant je me rends compte à quel point je manquais d'expérience. Après la naissance de Bobby, je me suis sentie tellement… épuisée. Du matin au soir. Et confuse. Mon travail devait en pâtir, car je fus bientôt "encouragée" par les médecins du service à prendre ce qui devait être un congé d'un an au milieu de mon internat. C'est alors que je me suis retrouvée enceinte à nouveau. Et quand Mindy est venue s'ajouter à Bobby, Martin a décidé qu'il serait préférable pour les enfants que je devienne mère au foyer. Comme le disait ma belle-mère : "Un médecin très occupé dans une famille, ça suffit." »

Lors de leurs précédentes conversations, Kendra avait laissé entendre que sa lente dégradation avait découlé de sa décision d'abandonner la médecine. Mais rien de tout cela n'importait, à moins que Kendra change d'avis à propos de sa participation à *Suspicion*.

Laurie jeta un coup d'œil à sa montre. Ils étaient là depuis dix minutes et n'avaient pas encore abordé le sujet. Et elle ne voulait pas arriver en retard à la prestation de serment d'Alex.

« Et aujourd'hui, vous travaillez donc dans le cabinet de votre ami ? demanda-t-elle, pour faire avancer la discussion.

— Oui, dit Kendra. Je doute de pouvoir un jour trouver quelqu'un qui soit prêt à me prendre comme interne afin que je puisse terminer mon cursus pour de bon. Mais grâce à Dieu, il me reste un ami de l'école de médecine, Stephen Carter. Les autres se comportent comme si je n'avais jamais existé, mais lui a pris le risque de m'engager comme assistante. Ça me fait du bien d'avoir un job régulier. Ça fait aussi du bien aux enfants de me voir travailler. »

À l'époque de la mort de Martin, Kendra n'était pas ce qu'on appelle quelqu'un d'actif. D'après Martin, ses parents et même ses propres amis, elle n'avait « plus jamais été la même » du jour où elle avait abandonné la médecine. Ce qui avait paru temporaire pendant qu'elle s'adaptait à la maternité était devenu un changement complet

50

de personnalité, surtout après le décès de sa mère dans un accident de voiture, alors qu'elle rentrait de New York après être venue aider Kendra à s'occuper des enfants. La jeune femme avait cessé d'accompagner son mari dans ses réunions professionnelles ou de sortir avec des amis. Quand on l'apercevait, elle paraissait perturbée, irritable, souvent négligée. Parmi ses amis, la rumeur courait qu'elle était devenue alcoolique. « Pauvre Martin », ou « Il reste pour les enfants », voilà les phrases, en général suivies d'un *tst-tst* réprobateur, qu'on entendait lorsqu'on évoquait Kendra.

Et le soir où Martin avait été tué, la nounou avait raconté qu'elle avait dû secouer Kendra pour la réveiller tandis qu'elle tentait désespérément d'appeler le 911.

« Je sais que votre dîner vous attend », dit Laurie, qui avait ses propres raisons d'être impatiente. « Alors je n'irai pas par quatre chemins. Vous avez dit aux parents de Martin que c'était moi qui avais refusé de prendre le cas de votre mari. C'est totalement faux. Cela semble démontrer que vous avez quelque chose à cacher, Kendra.

— Absolument pas. Vous le savez. J'essaye seulement d'avancer dans ma vie. Élever mes enfants. Travailler. Remuer toute cette histoire devant les caméras est plus que mes enfants et moi n'en pourrions supporter. Je vous l'ai expliqué.

— Alors pourquoi ne pouvez-vous pas l'expliquer à votre belle-famille ?

— Ils ne comprendraient jamais. Ils ont tenté, en vain, pendant des années, d'avoir Martin. Il a toujours été leur enfant miracle, et il est mort. Ils n'éprouvent aucune compassion pour moi. Quand ils me regardent, ils voient une meurtrière. Vous rendez-vous compte de l'enfer que je vis ? Mes parents sont morts. Martin et ses parents étaient ma seule famille. Et à présent ils me haïssent. Ils sont même obsédés par l'idée d'obtenir la garde de mes enfants. Ils sont sans pitié. »

Ses épaules s'étaient mises à trembler. Elle était au bord des larmes. « Je vous en prie, implora-t-elle, ne leur dites pas que c'est à cause de moi que vous ne faites pas l'émission. »

C'est moi le méchant flic, s'exhorta Laurie. *C'est le rôle que je dois jouer. Et je ne peux pas être en retard pour le soir le plus important de la carrière de mon fiancé.*

« Je ne peux pas *ne pas* leur dire, répliqua-t-elle. Ils ont été les premiers à m'envoyer cette lettre à propos de Martin. Je respecte vos souhaits, mais je dois aussi respecter les leurs.

— Cela va se retourner contre moi. Ils diront que je les ai trompés et obtiendront la garde des enfants. » Kendra baissa la voix : « Ils ont de l'argent. Ils sont influents. Ils trouveront un juge qui les écoutera. Je vous en prie, dites-moi ce que je dois faire.

— Ce n'est pas à moi de vous conseiller, dit Laurie. Mais vous vous êtes servie de moi. Je n'ai pas envie de leur mentir. Je vais les appeler et leur expliquer pourquoi nous renonçons.

– Ou alors, intervint soudain Ryan, nous pourrions tout simplement réaliser l'émission. »

Kendra le regarda, interdite.

« Si vous participez à l'émission, expliqua-t-il, ils ne sauront jamais que vous les avez trompés. Nous aurons finalement décidé de faire cette émission, un point, c'est tout. »

Kendra resta muette, le regard perdu dans le vague, réfléchissant visiblement au choix qui se présentait à elle. Puis elle dit : « J'accepte. Je vous ai dit que je n'avais rien à cacher. Mais je ne veux pas que mes enfants apparaissent à l'antenne.

– Naturellement, affirma Ryan en posant une main rassurante sur son épaule.

– Ni l'endroit où je travaille. Stephen a pris un risque en m'engageant. Je ne veux pas qu'il soit harcelé au téléphone, ou pire. »

Ils lui assurèrent qu'il n'en serait rien, mais Kendra demanda que ces engagements soient confirmés par écrit. Laurie les nota en bas de l'accord standard de participation qu'elle fit signer à Kendra avant qu'elle ne change d'avis.

« Oh, à propos, dit cette dernière en lui tendant le papier qu'elle venait de signer. J'ai appris par la presse la nomination du nouveau juge fédéral. L'article mentionnait qu'il venait de se fiancer et donnait votre nom. Félicitations.

– Merci, dit Laurie, prise au dépourvu. En fait, je pars au tribunal à l'instant même. Il prête serment ce soir. »

En sautant dans un Uber, Laurie avait mauvaise conscience. Kendra tenait peut-être sincèrement à protéger l'intimité de ses enfants. Mais elle se rappela qu'elle n'avait pas hésité à mentir quand il s'agissait de défendre ses intérêts. Et qu'elle n'était pas la seule personne à avoir perdu un membre de sa famille. Cynthia et Robert Bell avaient perdu leur fils unique et demandé à Laurie de les aider pour que justice soit faite.

Il n'y avait qu'un seul moyen pour elle de faire taire sa culpabilité : découvrir une fois pour toutes qui avait tué Martin Bell et pourquoi.

7

ENDRA avait à peine refermé la porte d'entrée qu'elle entendit les pas de Caroline derrière elle. Comme elle avait souffert de sa présence quand Martin l'avait engagée ! Pour commencer, elle avait eu l'impression que sa décision de quitter son travail pour se consacrer à sa famille avait été prise sans elle, pour ainsi dire. Ce n'avait pas été une *décision* au vrai sens du terme. C'était simplement… arrivé. Un jour, elle avait quitté son internat avec des contractions – une fausse alerte, avait-elle cru sur le moment. Puis elle s'était retrouvée à la maternité au milieu des fleurs envoyées par ses collègues internes. *On se revoit dans douze semaines, maman !* disait la carte. Elle était retournée à l'hôpital comme prévu, mais n'avait pas tenu un mois. Elle pensait prolonger son congé jusqu'à la fin de l'année et revenir à l'automne avec la promotion suivante des internes. Elle s'était alors retrouvée enceinte de Mindy et l'idée de pratiquer la médecine lui avait semblé impossible avec deux enfants à élever.

Lorsque le bébé avait eu dix-huit mois, elle avait appelé le chef de l'internat et demandé à revenir. À ce moment-là, elle pensait que les heures éreintantes à l'hôpital seraient du gâteau comparées aux tâches qui lui incombaient à la maison. Mais elle s'aperçut très vite que ses connaissances médicales étaient dépassées. Il lui faudrait suivre d'autres cours pour être à même de reprendre l'internat. Et pendant ce temps, Martin et ses parents ne cessaient de lui rappeler que Martin, l'enfant miracle, avait été élevé par une mère au foyer. Elle détestait voir Cynthia tapoter le bras de son fils, l'envelopper d'un regard adorateur en disant : « Un médecin très occupé dans une famille, ça suffit. »

Pas étonnant que tu aies cru que j'allais t'idolâtrer, se dit Kendra. Dieu sait qu'elle avait fait de son mieux pour plaire à son mari.

Au début, sa vie avec Martin avait été un véritable conte de fées. Elle sortait de l'amphi avec Stephen quand Martin avait voulu la remercier d'avoir résolu son problème d'ordinateur. « Je pense que ce cher docteur a eu le coup de foudre pour toi », lui avait dit Stephen une minute plus tard. Elle avait rétorqué qu'il se faisait des idées, mais elle n'en pensait pas moins. Les quelques mots de Martin avaient été parfaitement appropriés – modestes, reconnaissants, professionnels –, mais il les avait prononcés avec une sorte d'émerveillement, comme s'il savait que leur rencontre allait changer leur existence.

Comme Martin le lui avait avoué plus tard, il avait tenu à vérifier auprès de l'université que rien ne lui interdisait de sortir avec une interne en pédiatrie brillante, jeune et ambitieuse dont il avait fait la connaissance lors de l'une de ses conférences. Lorsqu'il la contacta pour lui demander de l'accompagner à une conférence médicale en ville, elle s'attendait à son appel. À la fin du dîner, ce soir-là, il avait déclaré qu'elle devait absolument faire son internat à New York, ajoutant : « Comment voulez-vous que je vous fasse la cour si vous vous installez à l'autre bout du pays ? »

Elle s'était donné tant de mal pour le rendre heureux. Il avait voulu se marier dès qu'elle avait obtenu son diplôme, puis il avait voulu avoir un enfant, puis un deuxième et, à chaque moment de leur vie, elle s'était pliée à ses désirs. Pour finir, il avait tout fait pour que sa jeune, brillante et ambitieuse interne en pédiatrie reste à la maison.

Elle avait espéré que sa mère la soutiendrait. Son père avait travaillé comme plombier. Il gagnait un salaire correct selon les critères de Suffolk County, mais sa mère avait pris un emploi de coiffeuse afin de boucler les fins de mois. Puis son père était mort d'une crise cardiaque quand Kendra était en première année de médecine, les laissant, sa mère et elle, avec une montagne de prêts étudiants. Sa mère avait alors travaillé dans deux salons différents – un la journée, l'autre en soirée – pour permettre à Kendra de terminer ses études.

Au lieu de l'encourager à réaliser son rêve de devenir médecin, elle lui avait laissé le choix. « Te rends-tu compte de la chance que tu as de pouvoir choisir ? Je n'ai jamais eu cette possibilité. J'aurais adoré pouvoir rester à la maison avec toi. On ne vit qu'une fois, ma chérie. Quel que soit ton choix, ce sera le bon. »

Elle avait donc cédé, s'était persuadée que rien ne l'obligeait à travailler. Bobby et Mindy profiteraient de tous les avantages qu'elle n'avait jamais eus – des écoles privées, une éducation new-yorkaise, les relations importantes des grands-parents. Tout ce qu'elle avait à faire était de les élever et de rester chez elle.

J'ai essayé, songeait Kendra aujourd'hui. *J'ai essayé d'être ce que Martin voulait que je sois. Mais il s'est avéré que la grâce et l'assurance qu'il avait cru voir en moi le premier jour n'ont pas résisté à cette existence d'épouse et de mère.*

Les enfants l'épuisaient plus que les études de médecine ne l'avaient jamais fait. Avec le recul, il était évident qu'il s'agissait d'une dépression post-partum. Sa mère faisait deux heures et demie de route pour venir l'aider durant ses rares jours de congé. Et puis, il y avait eu l'accident de voiture. Un accident ? Kendra savait ce qu'il en était. Privée de sommeil, exténuée par ses efforts pour venir aider sa fille, sa mère s'était endormie au volant.

Kendra s'était davantage enfoncée dans l'obscurité. Martin ne l'avait même pas laissée recevoir d'éventuelles candidates avant d'engager Caroline.

« C'est comme ça, avait-il déclaré. Tu es devenue une véritable épave. Les épaves n'ont pas voix au chapitre. » Elle aurait voulu le tuer à ce moment-là. Se débarrasser de lui.

À présent, cinq ans plus tard, la femme qu'elle avait tant détestée était pour ainsi dire devenue un membre de la famille.

« Cette productrice tente d'exploiter vos plus grandes peurs, dit Caroline. Pardonnez-moi, je n'ai pu m'empêcher d'entendre ce qu'elle disait. »

Kendra savait que l'insonorisation de la vieille remise laissait à désirer. Caroline avait écouté à la porte, évidemment.

« Bobby et Mindy feraient peut-être bien d'apporter à leurs grands-parents encore plus de friandises pleines de gras et de sucre, murmura-t-elle. Ces deux vieux fossiles ne vont quand même pas durer éternellement. »

Elle ne se serait pas permis cet humour noir devant n'importe qui, mais Caroline savait combien les Bell pouvaient se montrer détestables avec leur belle-fille. Elle s'était aussi habituée à l'humour noir de Kendra.

« Ne vous inquiétez pas, Caroline. Ce n'est qu'une émission de télévision. Laissez-moi ôter ma blouse, et je descends pour le dîner. »

À l'étage, seule dans sa chambre, Kendra ferma la porte, entra dans la salle de bains et ouvrit les robinets. Elle ne voulait pas qu'on puisse l'entendre.

Elle chercha un numéro dans le répertoire de son portable. Celui de « Mike ». Ce n'était pas son vrai nom, à sa connaissance. Et ce numéro de portable n'était qu'un numéro temporaire pour une affaire temporaire. Il lui en donnait un nouveau presque chaque fois qu'elle le voyait, trop malin pour en utiliser un que l'on aurait pu géolocaliser. C'était une chose qu'elle avait apprise.

Elle n'aurait jamais dû mentionner cette émission de télévision devant lui en novembre dernier. Mais elle était terrifiée à l'idée qu'il découvre la lettre que les Bell avaient écrite au studio et la punisse pour s'être tue. Il semblait toujours en savoir plus qu'il n'aurait dû. Elle avait promis d'éconduire la productrice, et elle l'avait fait, jusqu'à aujourd'hui.

Son interlocuteur décrocha à la troisième sonnerie sans prononcer un mot.

« Allô ? dit-elle avec nervosité.

– Qu'est-ce qu'il y a ? »

Elle lui apprit que Laurie Moran était venue la voir à l'improviste et l'avait poussée à signer une autorisation.

« Appelez-la demain et dites-lui que vous avez changé d'avis. Il est hors de question que vous participiez à cette émission. »

Elle objecta que les Bell ne baisseraient jamais les bras. Que si elle refusait de collaborer à *Suspicion*, ils mettraient à exécution leur menace de la traîner devant un tribunal. « S'ils portent plainte, ils risquent de découvrir votre existence.

— Ne me menacez pas. Ça pourrait vous attirer des ennuis. »

Sa voix était lugubre.

« Ce n'était pas mon intention », protesta-t-elle. Il était l'être le plus terrifiant qu'elle eût jamais rencontré, à la fois maître de lui-même et imprévisible. « Je voulais seulement dire que je peux participer à l'émission et ne jamais vous mentionner. Je le jure.

— Sur la tête de vos enfants ? »

Elle sentit un poignard de glace posé sur sa nuque. « Cinq ans ont passé. Si j'avais voulu révéler votre existence, je l'aurais fait depuis tout ce temps, vous ne croyez pas ? Je vous en prie, je ne cherche pas à vous causer des ennuis.

— Très bien. Allez-y. Mais n'oubliez pas ce qui est en jeu. Ce serait dommage qu'il arrive quelque chose à Bobby et Mindy. Maintenant, dites-moi tout ce que vous savez sur cette productrice. »

Elle lui obéit. Sa main tremblait quand elle raccrocha.

Cela faisait cinq ans que Martin était mort mais elle ne serait jamais libérée de lui, jamais vraiment. Depuis qu'elle avait compris qu'il la droguait, cette question ne l'avait plus quittée. Lui, entre tous, aurait dû voir qu'elle souffrait de dépression post-partum. Les médicaments n'étaient pas le moyen de la guérir. À moins que ses parents et lui n'aient voulu d'elle que pour enfanter ?

8

À BORD DU TAXI qui progressait péniblement dans la circulation depuis la maison de Kendra jusqu'au tribunal, Laurie regardait les minutes défiler, même si elle avait encore un peu de temps.

Pour cette journée, elle avait choisi une tenue qu'Alex n'avait jamais vue. Un tailleur-pantalon d'un bleu profond. Une couleur qui lui seyait et qu'il aimait la voir porter.

Elle vérifia son maquillage, raviva son rouge à lèvres. D'un geste impulsif, elle détacha ses cheveux noués en queue-de-cheval et les laissa flotter sur ses épaules. Alex les préférait ainsi.

Elle portait le simple rang de perles et les petites boucles d'oreilles de sa mère. *Elle serait si heureuse pour moi*, pensa-t-elle tandis que le taxi s'arrêtait devant le tribunal. Malgré les embouteillages, il lui restait dix minutes avant le début de la cérémonie. Timmy et son père seraient déjà là.

Comme prévu, ils étaient assis sur un banc devant le tribunal de la circonscription du juge Maureen Russell. Timmy se leva d'un bond à sa vue. « Grandpa avait peur que tu sois en retard.

– Sûrement pas aujourd'hui », dit-elle en souriant à son père.

Leo avait toujours attaché une importance maladive à la ponctualité. Il prit un air penaud. « Je m'inquiétais seulement à cause de la circulation.

– Hum, fit Laurie. Et à propos, où est Alex ?

– À l'intérieur. La salle est en train de se remplir. Ramon a apporté assez de petits-fours pour nourrir un régiment. »

Ramon était l'assistant d'Alex, son cuisinier, son homme de confiance. Il s'était attribué le titre de « majordome ». C'était aussi un remarquable organisateur de réceptions que la nomination d'Alex au banc des juges fédéraux emplissait de fierté. Laurie avait assisté au tourbillon déployé dans la cuisine la nuit précédente et pouvait imaginer la sélection de hors-d'œuvre préparés pour la réception d'aujourd'hui.

« Personne n'oserait douter des talents de maître de cérémonie de Ramon. »

Leo changea de sujet. « Tu sais qu'il m'est arrivé de témoigner devant le juge Russell dans une affaire qui a été portée devant le tribunal fédéral. Elle est épatante. Je suis impatient de la voir à l'œuvre aujourd'hui. Elle doit assister à la réception. »

Il n'y avait déjà plus une place assise dans la salle du tribunal quand le juge Russell arriva. Laurie savait que beaucoup parmi l'assistance étaient des avocats et collègues d'Alex. Ses relations quotidiennes avec eux lui manqueraient.

Le frère cadet d'Alex, Andrew, était venu de Washington. Il était chargé d'accueillir chacun des participants à l'événement. Les deux frères étaient très proches. Leurs parents étaient décédés dans un accident de voiture quand Andrew avait dix-neuf ans et Alex vingt et un. Alex était devenu le tuteur légal d'Andrew et il avait pris cette responsabilité au sérieux. Laurie était certaine que les paroles de bienvenue d'Andrew seraient chaleureuses et personnelles. Et ce fut le cas.

Lorsque vint le moment pour Alex de prêter serment, Laurie s'avança pour tenir la bible tandis que, d'une voix claire et solennelle, il prononçait les paroles requises et devenait ainsi juge fédéral. Quand il eut fini, il se pencha et l'embrassa. Après avoir remercié le juge, il dit : « Je vous suis infiniment reconnaissant de cet honneur. Mais je tiens à vous dire qu'aucun honneur n'aurait eu de véritable signification si je n'avais pu le partager avec ma fiancée et future épouse, Laurie Moran. »

Cinq minutes après avoir quitté la salle d'audience, les membres de la famille et les intimes invités à la réception s'étaient réunis dans la salle de conférences. La soirée battait son plein.

Laurie bavardait avec plusieurs des avocats qui avaient partagé le cabinet d'Alex. L'un d'eux, Grant Smith, aborda un sujet sensible.

« Je dois avouer que j'ai été choqué qu'un avocat pénaliste obtienne haut la main l'approbation du Sénat. Je suppose qu'aucun des sénateurs n'a perdu d'argent dans le scandale Newman », dit-il.

En effet, Alex avait craint que cette affaire puisse avoir des conséquences négatives sur l'accord de la commission juridique. Il regrettait d'avoir obtenu un acquittement pour Carl Newman, accusé d'avoir volé à des investisseurs des millions de dollars. Mais les inspecteurs avaient bâclé l'enquête. Et il n'avait fait que son travail d'avocat en obtenant de la cour que des pièces à conviction importantes soit exclues du procès. Lui-même avait été étonné de l'acquittement de Newman par le jury. En tout cas, il était particulièrement indélicat de la part de Smith d'évoquer cette histoire à présent.

Il est jaloux, pensa Laurie, qui se demandait si Alex partageait son sentiment.

9

BIEN QUE le juge Russell ait demandé à ses assistants de vider la salle une heure après le début de la réception, Laurie remarqua, à sept heures et demie passées, que même madame le juge semblait s'amuser. Elle avait principalement discuté avec Leo, et Laurie ne pouvait s'empêcher de noter que son père semblait apprécier sa conversation. Elle nota également qu'il se retourna pour la regarder partir quand tout le monde se sépara.

Elle est très séduisante, pensa Laurie. Elle lui donnait une soixantaine d'années. Son expression juvénile lorsqu'elle souriait démentait ses airs sérieux.

« Tu t'es fait une copine, on dirait ? » demanda Laurie quand elle retrouva son père dans le hall. « Mon petit doigt me dit qu'elle est formidable.

— Arrête.

— Maintenant tu comprends ce que j'ai ressenti l'année

dernière. » Elle avait en effet eu le sentiment que Leo lui avait parlé d'Alex presque tous les jours.

« Mais j'avais raison, non ?

– Et qui te dit que je n'ai pas raison sur ce coup-là ?

– Arrête », répéta-t-il, mais elle enregistra son petit sourire.

Elle vit Alex se diriger vers eux, Timmy à son côté.

« Et maintenant, qu'est-ce qu'on fait ? demanda Alex en se frottant les mains. Il paraissait galvanisé par la cérémonie.

– Ce petit bonhomme a encore des devoirs à terminer à la maison. »

Laurie attrapa Timmy et lui donna une petite tape sur l'épaule.

« Maintenant qu'Alex est juge, il peut écrire à mes professeurs d'y aller doucement avec moi.

– Mieux vaut garder ça pour les gros problèmes, plaisanta Leo.

– Bien vu, Grandpa. »

Andrew devait les quitter car il avait une affaire à plaider le lendemain. Leo proposa de ramener Timmy à la maison et de le faire travailler afin que Laurie puisse aller dîner avec Alex. En les regardant s'engouffrer dans un taxi, elle se rendit compte qu'il lui tardait de trouver un appartement où loger toute la famille. Celui d'Alex sur Beekman Place était assez grand pour y emménager avec Timmy, mais il était à une trentaine de minutes de son école, et son père devrait lui aussi déménager, s'il voulait rester à proximité de son petit-fils. En outre, elle aimait l'idée de commencer leur nouvelle vie dans un endroit totalement vierge.

Une fois dans la voiture, Alex lui demanda si elle avait vraiment envie de dîner dehors alors que Ramon avait encore quantité de restes à la maison. Ramon rejeta vivement cette option : « J'ai peur que le service de sécurité n'ait pas terminé ses installations. C'est un vrai foutoir avec tous les fils et les caméras. »

Maintenant qu'il était juge fédéral, Alex devait bénéficier d'un système de sécurité de premier plan relié directement aux forces de police. Il leur avait demandé d'attendre qu'il emménage ailleurs par mesure d'économie, mais apparemment ce n'était pas ainsi que le système fonctionnait.

« Dans ce cas, allons au Gotham, proposa-t-il.

– Les désirs du juge sont des ordres, dit Laurie comme Ramon démarrait. Tu as été nommé à vie au job de tes rêves. Est-ce que tu te sens différent maintenant que c'est officiel ?

– Franchement ? » Il prit sa main dans la sienne et effleura la bague à son doigt. « J'ai déjà pris l'engagement à vie qui compte le plus pour moi. »

$\mathcal{S}$UR PEARL STREET, un homme au volant d'un 4×4 blanc – quarante-cinq ans, paupières tombantes et visage joufflu – guettait la sortie du tribunal. Il repéra immédiatement le groupe qu'il attendait.

Ils semblaient tellement à l'aise, tous les cinq, pensa-t-il avec amertume. L'homme le plus âgé et le gamin hélèrent un taxi. Le type plus petit ouvrit la portière d'une Mercedes à la femme. La productrice de télé. Qui s'appelait Laurie Moran. Et avait perdu son premier mari dans des circonstances tragiques.

Elle paraissait heureuse maintenant, tandis que le nouveau juge montait à l'arrière et prenait place à côté d'elle. À la lumière du réverbère, il les vit se pencher sur la bague qu'elle portait au doigt.

Jolie nana, pensa l'homme en se faufilant dans le flot des voitures à leur suite. *Sûr qu'on la regrettera.*

11

E N ENTRANT dans le hall de son immeuble de la 94ᵉ Rue, Laurie salua Ron, le portier de nuit.

« Comment ça va, Primo ? » demanda-t-elle, utilisant le petit nom qu'il se donnait. Il lui avait expliqué que ce mot signifiait « cousin » au Mexique, mais qu'il était plus souvent utilisé pour décrire un ami proche.

« Ça va bien. J'espère que vous n'étiez pas coincée au boulot pendant tout ce temps. Il est tard. »

Laurie était venue s'installer ici après la mort de Greg. Il lui avait paru logique d'être près de son père qui l'aidait à élever Timmy – mais il s'agissait aussi de s'éloigner du centre-ville et de Central Park, où Greg avait été assassiné.

« Ce n'était pas une soirée de travail, dit-elle joyeusement. J'étais en ville avec mon fiancé. Il a eu des bonnes nouvelles.

– *Fiancé*, dit Primo avec un sourire. J'aime bien vous entendre dire ça. J'ai remarqué votre pas guilleret ces temps-ci. J'espère qu'il ne va pas vous emmener, Timmy et vous. Vous nous manqueriez beaucoup.

– Aucun changement pour le moment, promit-elle, sachant qu'elle allait regretter ces gens qui l'avaient aidée à se sentir bien dans cet endroit, lorsqu'elle s'était tout à coup retrouvée mère célibataire.

Une fois chez elle, elle se débarrassa de ses escarpins et ôta sa veste, la lançant sur un crochet du portemanteau de l'entrée. Le silence prouvait que Timmy était déjà au lit.

Elle trouva son père à sa place préférée – à moitié allongé dans le fauteuil inclinable –, *Time Magazine* ouvert sur ses genoux, la télévision branchée sur la chaîne des sports mais sans le son. Apparemment, Timmy n'était pas seul à avoir sombré dans les bras de Morphée.

Leo dut sentir sa présence car il redressa brusquement le dossier du fauteuil. « Alors ce dîner, c'était bien ? demanda-t-il.

– Ne m'en veux pas, j'ai commandé tes plats préférés : salade de fruits de mer et steak.

– Saignant ?

– Comme tu l'aimes. »

Il sourit et leva le pouce. « Tu mènes la belle vie, ma fille. À propos, ton agent immobilier est passé avec ça. » Il fit un geste vers un dossier épais de deux centimètres sur la table basse – une nouvelle liste d'appartements, à n'en pas douter – et ajouta d'un ton sarcastique : « Elle a dit qu'elle passait dans le quartier. Comme par hasard une liste personnalisée sous le bras. »

C'était Charlotte qui avait conseillé à Laurie de s'adresser à Rhoda Carmichael. « Le lapin Duracell de l'immobilier, lui avait-elle dit. Elle ne s'arrêtera pas avant de trouver l'endroit parfait pour toi, Alex et Timmy. »

Ce que Charlotte ne lui avait pas dit, c'était que Rhoda attendait le même degré d'engagement de la part de ses clients. La semaine précédente, elle avait appelé Laurie à cinq reprises dans la même matinée pour lui décrire un appartement, avant même qu'il soit officiellement sur le marché.

Certaine que Rhoda la contacterait dès la première heure pour avoir son impression, Laurie se promit de jeter un coup d'œil aux documents demain à son bureau. Elle n'avait pas besoin d'un second boss dans sa vie.

Son père fit mine de se lever, prêt à parcourir à pied les trois blocs qui le séparaient de son appartement.

« Tu as une seconde ? demanda-t-elle.

– Bien sûr. »

Il se rassit.

Elle lui raconta la visite de Robert et Cynthia Bell, suivie de la sienne à Kendra. « J'ai passé la plus grande partie de la journée à me replonger dans cette affaire. La presse n'a pas été tendre. Pas un article de compassion pour la femme de Martin. Néanmoins je n'ai trouvé aucune indication officielle de la part de la police laissant entendre qu'elle était considérée comme suspecte.

« — Mais laisse-moi deviner : la police de New York n'a rien dit pour la laver de tout soupçon non plus. »

Elle secoua la tête.

« Garde-le pour toi, mais laisse-moi t'apprendre à lire entre les lignes. Dans l'affaire Martin Bell, les journaux en faisaient bien assez pour exciter l'intérêt du public.

— Inutile pour la police de tenir des conférences de presse et tutti quanti, dit Laurie, suivant la logique de son père.

— En effet, mais il y avait davantage que la *somme* des articles. Il y avait l'*angle* choisi. Quand je travaillais à la brigade des homicides, j'ai eu un cas – une sale histoire. Pauvres gosses. » Il fronça les sourcils à ce souvenir. Leo avait aimé son métier de policier, mais Laurie se souvenait que certains types de crimes effaçaient le sourire du visage joyeux de son père. « Un des journalistes s'était mis dans la tête que la coupable était la nounou. Soi-disant par jalousie parce qu'elle-même ne pouvait pas avoir d'enfants. Mais il y avait un hic : nous savions qu'elle avait un alibi en béton, et nous l'avions vue pleurer sincèrement la perte de ces gamins. Nous avons donc fait une déclaration qui établissait clairement que nous considérions la nounou comme une victime collatérale du crime. Ça a stoppé net les ragots dans la presse, conclut-il avec un claquement de doigts.

— Mais la police n'a rien fait de tel pour Kendra Bell, fit remarquer Laurie.

— Exactement.

— Donc, elle est suspecte. »

Il haussa les épaules. « J'ai eu vent de certaines rumeurs à l'époque.

– Comme quoi ?

– Tu te souviens comment la presse la qualifiait de droguée ou je ne sais quoi ? »

Alors que le public semblait convaincu que Kendra avait assassiné son mari, l'extraordinaire couverture médiatique ne semblait pas avoir été étayée par des faits. Tous les articles se réduisaient à une banale constatation : Martin Bell avait été une superstar de la médecine, avec une grande carrière publique, marié à une femme solitaire qui n'avait pas su se montrer à la hauteur du potentiel que son mari avait jadis vu en elle. Il y avait des anecdotes sur ses apparitions dans un état second les rares fois où elle avait été vue en public avec lui pendant les mois qui avaient précédé sa mort. Et des sources anonymes insinuaient qu'elle retirait plus d'argent que n'était censée dépenser une mère au foyer. Mais Laurie n'avait rien vu qui ressemblât à une preuve tangible.

« Maman speed », dit Laurie, se rappelant un des titres des journaux. « Un voisin – anonyme bien sûr – a dit que Kendra semblait parfois dans un état second. Pour d'autres, elle semblait plutôt avoir tendance à boire un peu trop. Si elle buvait, elle avait peut-être la gueule de bois de temps en temps.

– Je crois que c'était plus grave que ça », dit Leo en regardant dans le vague. « On ne l'a jamais révélé à la presse, mais la rumeur a couru dans le service. Sa conduite était apparemment très étrange le soir du meurtre. Elle semblait en pleine confusion. Les agents sur place n'étaient même pas sûrs qu'elle comprenait ce qui se passait. En bref, ils ont demandé s'ils pouvaient faire une prise de sang pour s'assurer qu'elle n'était pas sous l'influence d'une drogue quelconque. Son mari venait d'être assassiné de sang-froid et elle a piqué une crise pour un test de dépistage sans mandat.

— Défendre sa vie privée ne fait pas de quelqu'un un meurtrier, lui rappela Laurie.

— Oui, mais ensuite ils ont mis leur nez dans les comptes en banque.

— Les retraits en liquide », dit Laura.

Kendra utilisait sa carte de crédit du compte joint pour faire de fréquents retraits au distributeur.

« Il y a autre chose, continua Leo. Après le meurtre de Martin, le bruit a couru que Kendra était une habituée d'un rade de l'East Village.

— Ça peut se comprendre si elle avait un problème de boisson. Mais je ne lui ai pas trouvé l'air d'une cliente de bar de quartier…

— C'est la question. Pourquoi s'y rendait-elle ? Il s'avère que dans les jours qui ont précédé la mort de Martin, Kendra avait eu rendez-vous avec un genre de voyou trois ou quatre fois dans le même bar. Encore plus suspect, ni l'un ni l'autre ne sont revenus dans cet établissement après la mort du mari.

– Et qui était ce charmant individu ? »

Leo secoua la tête. « Ils n'ont pas pu le retrouver. Comme Kendra, il payait toujours en liquide. Et, d'après ce que j'ai entendu dire, Kendra ne s'est pas montrée particulièrement bavarde quand la police lui a posé des questions sur lui. »

Laurie fronça les sourcils. Kendra était couchée au moment du coup de feu, elle n'avait donc pas pu commettre le meurtre en personne. Ses détracteurs avaient émis l'hypothèse que les grosses sommes étaient destinées à payer un tueur à gages. Si Laurie pouvait prouver que Kendra avait rencontré un inconnu à plusieurs reprises avant le meurtre, elle aurait de la matière pour son émission. « Tu te rappelles le nom du bar ?

– Même pas sûr de l'avoir jamais su. Mais je peux me renseigner.

– Bien sûr, que tu peux ! » s'exclama Laurie.

Leo Farley avait pris sa retraite après le meurtre de Greg afin de pouvoir aider Laurie à élever Timmy, mais, des années plus tard, même les stagiaires de la police se mettaient au garde-à-vous dès qu'il pénétrait dans une pièce. L'année précédente, il avait accepté de rejoindre la cellule antiterroriste de la police de New York à temps partiel. Tant qu'il resterait en activité, il aurait les coudées franches au sein du département.

Elle accompagna son père à la porte et l'embrassa.

« Tu as compris ce que signifie lire entre les lignes ? demanda-t-il.

– Oui. Merci pour la leçon, professeur. Ça intéressera sûrement un juge de ma connaissance au cours d'un prochain dîner.

– Oh, restons modeste. Mais je suis sérieux : le fait que Kendra n'ait jamais été officiellement considérée comme suspecte ne signifie pas que toute la police de New York la croie innocente. » Il semblait soudain soucieux. « Son mari a été tué alors qu'elle avait de jeunes enfants. C'est naturel que tu t'identifies un peu à elle. Mais elle est probablement coupable. Fais attention, Laurie. »

12

É PUISÉE par sa journée, Laurie entrouvrit la porte de la chambre de Timmy après le départ de son père. Dans la pénombre, elle distinguait à peine sa silhouette dans le lit. Son petit garçon n'avait plus l'âge d'avoir besoin d'une veilleuse. Ce n'était même plus un petit garçon, se dit-elle, mais elle se plaisait à le voir encore ainsi.

Une fois couchée, elle sortit son téléphone qu'elle avait éteint durant le dîner pour envoyer un court message à Charlotte.

> Encore moulue après la séance
> de vélo de ce matin.
> Tu aurais pu me prévenir !

Elle fit apparaître la liste des smileys et ajouta un vélo et une icône souriante avec des cornes de démon.

Charlotte répondit rapidement avec l'icône d'un

biceps, suivie de celle d'un baiser, puis d'un *zzzzz* évocateur.

Ce message la faisait encore sourire quand une alerte de sa boîte vocale apparut sur son écran. Le numéro d'appel lui parut vaguement familier, mais elle ne l'identifia pas sur-le-champ. Elle pressa sur le bouton « Écouter ».

« Madame Moran, ici Kendra Bell. Vous m'avez prise au dépourvu aujourd'hui. Je n'ai même pas eu l'occasion de vous donner ma version des faits. Puis-je vous rencontrer demain après-midi ? J'ai vérifié mon emploi du temps au travail, et je peux partir plus tôt. Trois heures vous conviendrait-il ? Et, je vous en prie, vous devez me promettre de tenir mes enfants en dehors de tout ça. »

Sa voix tremblait.

Laurie réécouta le message pour s'assurer que ce n'était pas un effet de son imagination.

Non, elle ne rêvait pas ! L'inquiétude de Kendra ne lui avait pas échappé quand elle l'avait vue, mais c'était différent maintenant. Elle n'était pas seulement angoissée ou nerveuse. Elle semblait affolée. Bouleversée. Absolument terrifiée. Et pourtant, elle acceptait de participer à l'émission.

Pourquoi avez-vous tellement peur ? se demanda Laurie. *Pourquoi craignez-vous ce que je vais découvrir ?*

13

ORSQUE LAURIE arriva à son bureau le lendemain matin, Grace et Jerry étaient déjà là, penchés sur le téléphone que Grace tenait dans sa main.

« Il déteste les chiens ? demandait Jerry.

– Qui peut *détester* les chiens ? Qu'est-ce qui ne va pas chez lui ? À dégager ! »

Laurie entendit un petit *bip* tandis que Grace passait un doigt parfaitement manucuré sur son écran pour faire disparaître la page.

« Encore en train de mater les garçons ? » demanda Laurie, interrompant leur séance de recherche de partenaire. La pratique désormais répandue des rendez-vous en ligne lui avait été épargnée, mais elle savait que passer son doigt sur le profil de quelqu'un équivalait virtuellement à lui claquer la porte au nez. Laurie s'émerveillait de l'insouciance de Grace dans ce domaine. Le célibat lui convenait parfaitement, mais elle aimait manifestement papillonner d'une rencontre à une autre.

Grace enfouit d'un air penaud son téléphone portable dans la poche de sa veste cintrée noire. « Désolée. On est tous les deux arrivés en avance, mais je suppose qu'il est l'heure de se mettre au boulot. »

Laurie l'arrêta. « Pas de problème. » Elle avait beau considérer Grace et Jerry comme sa « famille de travail », elle se rendait compte qu'eux la voyaient toujours comme leur chef.

« On ne peut pas tous avoir autant de chance que toi et Alex, dit Grace. Tu as trouvé le type parfait au boulot. En attendant, je ne tombe que sur des cloches sur les sites de rencontre.

— Et Ryan, alors ? fit remarquer Jerry. Quand il a commencé à travailler au studio, tu passais ton temps à dire qu'il était *formidable*.

— C'était avant d'apprendre à le connaître », dit Grace en levant les yeux au plafond. « Non merci. À propos de monsieur Je-sais-tout, il est passé à ton bureau il y a quelques minutes, Laurie.

— Et comment s'est déroulé l'entretien avec Mme Bell ? demanda Jerry.

— Pas mal. Elle a accepté de participer. Bizarre quand même. On sortait à peine de chez elle hier soir quand elle m'a téléphoné. Elle semblait prise de panique. »

Jerry croisa les bras, songeur. « Normal, c'est comme si tu lui demandais de choisir entre la peste et le choléra. Soit elle participait à l'émission, soit ses beaux-parents comprenaient que c'était elle qui mettait des bâtons dans les roues. »

Laurie hocha la tête. « Mais c'était déjà vrai quand nous étions chez elle. Lorsqu'elle a appelé, c'était différent – comme si quelque chose était arrivé entre-temps qui l'avait bouleversée.

– Peut-être qu'elle s'est renseignée sur nous, dit Grace. Jusqu'ici, *Suspicion* a résolu tous les cas qui ont été sélectionnés par la production.

– C'est possible », dit Laurie, repensant à l'inconnu que Kendra était censée avoir rencontré peu avant le meurtre.

Si elle avait engagé un tueur pour assassiner son mari, ce n'était pas l'enquête de Laurie qui était une menace. L'homme qui avait appuyé sur la détente n'apprécierait pas de l'entendre parler à une productrice de télévision. Elle se souvint des mises en garde de son père la veille au soir et se demanda jusqu'où cette affaire pourrait la conduire.

Laurie trouva Ryan à son bureau, s'exerçant à putter sur une bande de green artificiel. Il s'apprêtait à taper une balle quand elle l'interrompit : « Grace m'a dit que vous me cherchiez. »

La balle partit sur la droite et roula sur la moquette du bureau.

« Désolée, dit Laurie.

— Heureusement que ça ne compte pas. »

Il lui tendit son club, lui proposant de faire un essai. Elle refusa.

« Croyez-moi, ce n'est pas une bonne idée. Je serais capable d'envoyer la balle par la fenêtre. »

Laurie lui parla du coup de fil affolé de Kendra Bell. « Elle peut quitter son bureau plus tôt aujourd'hui, nous allons la retrouver à trois heures. À mon avis, elle ne veut pas que nous la rencontrions chez elle à cause des enfants, je vais voir si elle accepte de venir ici.

— Trois heures, ça ne m'arrange pas. J'ai rendez-vous avec mon entraîneur.

— Je vous dirai comment ça s'est passé. Je suis curieuse d'entendre ses théories concernant le meurtre. Les seules spéculations du public ont tourné autour de sa culpabilité à elle.

— Vous n'allez pas reporter le rendez-vous ?

— Non. Elle travaille à plein temps, elle a deux enfants, et c'était son seul moment de libre. Bon courage pour l'entraînement. »

Laurie avait passé en revue la moitié de la liste que Rhoda Carmichael avait déposée chez elle la veille quand l'agent immobilier l'appela sur son portable. « Ne me faites pas attendre, dit Rhoda. Dites-moi ceux qui vous paraissent intéressants pour que je puisse organiser des visites. »

Reprenant le classeur, Laurie s'aperçut qu'elle n'avait corné que deux pages. Les appartements étaient en tout point magnifiques, loin de ce que Laurie pourrait jamais s'offrir seule. Mais ils étaient si... froids. Presque trop parfaits. Elle ne se voyait vivre avec Timmy dans aucun d'entre eux.

« Celui situé au coin de la 86ᵉ Rue et de Lexington Avenue serait un endroit parfait pour nous, dit-elle sans enthousiasme, étonnée de ne trouver que deux photos. Et l'appartement dans la 90ᵉ Rue a une disposition pratique permettant à Ramon d'avoir un espace séparé du nôtre, mais il est un peu trop à l'est.

– Bon, n'oubliez pas qu'il y a une nouvelle ligne de métro sur la Deuxième Avenue, dit gaiement Rhoda. Ce qui était autrefois la cambrousse est devenu un must sur le marché.

– Je tiens à être près de mon père et de l'école de Timmy. Nous avons nos habitudes.

– Écoutez, Laurie. » Rhoda était censée être née et avoir grandi dans le Queens, mais elle avait un léger accent du Sud. « Parfois j'ai l'impression que vous n'avez pas du tout envie de déménager. »

Et vous n'avez pas tort, se dit Laurie *in petto. Je veux épouser Alex, mais à part ça, ma vie est très bien comme elle est.* « Peut-être pourrions-nous persuader nos voisins de déménager et relier les deux appartements, plaisanta-t-elle.

— Bonne chance si vous arrivez à convaincre la copropriété. Et ensuite, où comptez-vous habiter pendant l'année que nécessiteraient les travaux ? » Laurie déchanta aussitôt. « Le 86ᵉ et Lex ne restera pas longtemps sur le marché. Laissez-moi vous y emmener aujourd'hui. À midi ? »

Laura soupira. Elle était libre et Alex le serait, lui aussi. « Entendu. » Au moins aurait-elle un prétexte pour voir Alex en pleine journée.

14

L E PARFUM de Rhoda Carmichael envahit l'ascenseur, mélange de muguet et de talc pour bébé.
Elle tenait son sempiternel téléphone dans la main droite
et un maxi-sac à main dans la gauche.

Alex lança un coup d'œil amusé à Laurie tandis qu'ils
regardaient les étages défiler. Elle savait qu'il était de
son avis : Rhoda allait leur demander de signer un
contrat sur place.

Rhoda avait à peine introduit les clefs dans la serrure
que leur pressentiment se vérifia. Elle vanta la vue « par-
tielle », charabia typique de l'agent immobilier cherchant
à valoriser un pauvre ruban de ciel au-dessus d'un mur
de brique. « Vieil immeuble traditionnel », autrement
dit décati, prétentieux, ou les deux. Et la cerise sur le
gâteau, c'était « son charme potentiel », comme on dit
d'une personne ennuyeuse qu'elle a bon caractère.

Tandis que Laurie parcourait l'appartement avec Alex,

elle essaya à nouveau de visualiser leur nouvelle vie ensemble. Timmy était devenu un trompettiste enthousiaste, si bien que les murs devaient être assez épais pour épargner les tympans des voisins. Elle et Alex auraient souvent à travailler à la maison, ce qui exigeait l'existence d'un bureau. Et, naturellement, Ramon avait besoin d'un espace de vie et d'une cuisine digne de ses talents.

Ils se retrouvèrent à parler de la nécessité de déplacer les murs et de remplacer salles de bains et cuisine. Rien que l'idée était décourageante. Cet appartement ne convenait pas.

« L'emplacement de l'appartement de votre père est-il la condition *sine qua non* ? » demanda Rhoda.

Laurie cligna des yeux, sans comprendre.

« L'endroit où il habite, expliqua Rhoda. Vous êtes très ferme à ce propos. Entre l'école de votre fils et l'appartement de votre père, je travaille dans un rayon de six blocs. Si je pouvais élargir le périmètre, je suis sûre que je trouverais l'endroit idéal pour vous.

– Nous avons une marge de manœuvre, mais mon fils a son école. Mon père a sa vie. Ça ne peut pas changer, dit Laurie.

– Je sais. Mais je réfléchis. Vous avez Ramon, qui peut tout faire, y compris conduire votre fils. Et si votre père venait habiter près de chez vous – voire *avec* vous –, vous pourriez acheter n'importe où à Manhattan, et Timmy n'aurait pas à quitter son école. »

Laurie imagina son fils à l'arrière de la Mercedes au lieu de trotter à côté de son grand-père, son sac sur le dos. Ce n'était pas ainsi qu'elle envisageait son avenir.

« Je ne peux pas demander à mon père de déménager, dit-elle. En outre, Ramon et lui finiraient par se disputer le rôle du boss dans la maison. Trop de fortes personnalités dans un seul lieu. »

Alex rit, imaginant la scène.

Rhoda leva les mains, renonçant au combat. « Très bien. Nous finirons bien par vous dégotter votre petit paradis. Il y a autre chose dont nous devons nous préoccuper, ce sont les exigences des différents conseils d'administration de la copropriété. Certains peuvent avoir des réticences à votre endroit.

— Nous ne sommes pas vraiment un couple de criminels endurcis. »

Laurie savait qu'elle avait l'air sur la défensive, mais comment ne l'aurait-elle pas été ?

« Je sais, je sais, dit vivement Rhoda. Je me suis mal exprimée. Mais je ne serais pas surprise que certains résidents nourrissent des inquiétudes à propos de la nature de votre travail, Laurie. Après tout, il vous a déjà mise en danger. Alors préparez-vous à ce qu'ils posent des questions.

— Ils n'ont pas à s'inquiéter, la rassura Alex. Comme je l'ai mentionné, en tant que juge fédéral, je suis protégé par la police, qui insiste pour ajouter un système de sécurité de haut niveau chez nous. »

Rhoda laissa échapper un soupir théâtral. « Un autre problème en perspective, si vous voulez mon avis. Les gérants s'inquiéteront des nuisances pour les autres copropriétaires qu'apportent ce genre de travaux, pourtant peu différents d'autres rénovations.

– Soit je suis une cible vivante qui attire le danger, dit Laurie, soit Alex est trop protégé. D'autres raisons de refus dont nous devrions être conscients ? »

Rhoda fit la grimace et Laurie comprit qu'elle n'en avait pas terminé avec les critiques. « Je ne serais pas surprise que certaines copropriétés enquêtent sur le passé d'avocat d'assises d'Alex. Sur certains de ses clients les plus connus en particulier. »

Nous y revoilà, pensa Laurie. Alex s'était inquiété que certains de ses procès précédents n'interfèrent lors du processus de son agrément en tant que juge fédéral. « Le FBI a vérifié minutieusement les antécédents d'Alex et il a obtenu le soutien biparti du Sénat. J'aurais cru que ce serait suffisant pour le bureau administratif d'une copropriété.

– Je suis excessivement prudente, convint Rhoda. Mais je ne veux pas que vous soyez pris au dépourvu. Ne vous inquiétez pas. Nous finirons bien par y arriver. »

Après avoir remercié Rhoda de leur avoir consacré du temps, ils s'engouffrèrent dans la voiture d'Alex.

« Alors, vous avez trouvé la perle rare ? demanda Ramon de sa place au volant.

– Pas encore », répondit Alex.

Laurie referma sa main sur celle de son fiancé. « Je suis désolée de t'imposer tant de conditions. Ta vie serait tellement plus simple sans moi. »

Il passa son bras autour de ses épaules. « Tu plaisantes ? C'est moi qui débarque avec une protection personnelle et des clients "connus". Rhoda faisait visiblement allusion à Carl Newman. Et je ne la blâme pas. Quantité de New-Yorkais ont perdu beaucoup d'argent à cause de cet homme.

– Ce n'est pas comme si tu l'avais aidé à trafiquer ses comptes », dit Laurie.

Alex haussa les épaules. Il savait depuis longtemps que, pour certains, les avocats étaient tout simplement aussi méprisables que leurs clients. « Autant ne pas nous retrouver voisins d'une de ses victimes », dit-il.

Le téléphone de Laurie vibra dans son sac. Elle consulta l'écran. C'était Leo. « Salut, papa.

– J'ai de mauvaises nouvelles, chérie. Il semble que la bonne étoile de ton vieux policier de père commence à pâlir.

– Je n'en crois rien.

– Peut-être pas, mais je me suis démené pour t'obtenir des informations sur l'enquête Bell. Le chef de la brigade criminelle m'a dit qu'elle n'était pas bouclée. Mon impression, c'est que l'affaire est gelée mais qu'ils n'osent pas la classer à cause de la pression de la famille. »

Connaissant Robert et Cynthia Bell, Laurie imaginait très bien le couple exerçant son influence sur l'enquête. « Tu leur as dit que la famille participe à l'émission ?

– Oui. J'ai même proposé que les parents téléphonent aux autorités, si nécessaire. Mais il est évident pour moi qu'ils ont peur qu'on leur reproche de t'avoir refilé une information qui n'est pas encore publique.

– Le chef de brigade ne t'a pas donné le moindre indice ?

– Pas grand-chose. Il a confirmé les rumeurs que je connaissais déjà. Kendra était groggy et dans les vapes la nuit du meurtre, et elle a fait tout un foin quand on lui a demandé de passer un test de dépistage de drogue. Elle a fermement refusé, et ils n'ont pas pu obtenir un mandat pour l'y forcer. Il n'a pas voulu me donner plus de détails, mais il a fini par confirmer que Kendra fréquentait un bar de quartier.

– Et qu'elle y rencontrait un homme ? Où était ce bar ?

– Il n'a rien voulu lâcher d'autre. Je te l'ai dit, ils n'ont aucune intention de partager leur enquête avec toi. Je crois quand même qu'il m'a donné un indice. Lorsque j'ai insisté sur l'homme mystérieux, il a laissé échapper : "Je ne sais pas si cet homme existe, mais si c'est le cas, il faudrait se rencarder chez les truands."

– Les truands ?

92

« – Ouais. C'est le mot qu'il a employé. Je me suis dit que c'était sa façon de m'aider. Peut-être une histoire d'indic ou d'infiltration. Réfléchis là-dessus et j'en ferai autant de mon côté.

– OK. À propos, papa, dit-elle d'un ton plus léger. Rhoda a suggéré que tu t'installes avec nous lorsque Alex et moi nous serons mariés. »

Alex souriait à côté d'elle, sachant qu'elle faisait cette remarque à son père comme on lance un hameçon.

« Et avoir toujours Ramon sur le dos qui surveillerait tout ce que je mange ? Il serait capable de remplacer ma bière par du soda pendant que je dors. Non. Je resterai chez moi jusqu'à ce qu'on m'en sorte les pieds devant, merci beaucoup.

– C'est bien ce que je pensais. Je t'aime, papa.

– Je t'aime aussi. Et fais attention, tu enquêtes sur un meurtre, d'accord ?

– OK. »

15

*L*AURIE s'installa confortablement dans son fauteuil habituel et contempla la ville. Elle retrouvait chaque fois avec le même plaisir teinté d'incrédulité son bureau clair et spacieux ainsi que la baie vitrée donnant sur la patinoire du Rockefeller Center. On était fin mars, et celle-ci était envahie d'habitués qui profitaient des deux dernières semaines de glace. Depuis le quinzième étage, les patineurs ressemblaient à de minuscules marionnettes tournant sur la piste et la ville en contrebas paraissait calme et ordonnée.

Laurie se sentait chez elle dans cette pièce. Elle avait tout choisi elle-même, du fauteuil dans lequel elle était assise jusqu'au long canapé de cuir blanc, à la table basse en verre et au plafonnier. Même si elle et Alex s'installaient dans un endroit complètement nouveau, il lui resterait son bureau – un espace bien à elle.

Elle avait fini d'établir une liste rapide des sujets à évoquer durant son entrevue avec Kendra Bell. Comme elle l'avait supposé, la jeune mère ne voulait pas la rencontrer chez elle. Elle ne voulait pas non plus faire le trajet jusqu'à Midtown, la partie de la ville où était situé le bureau de Laurie, étant donné son emploi du temps, si bien que Laurie s'était demandé si elle ne cherchait pas un moyen de gagner du temps.

Quand elle lui avait laissé le choix du restaurant, Kendra avait proposé Otto, un italien qu'elle connaissait déjà dans Greenwich village. Ça tombait bien.

Elle avait noté au bas de sa liste : *bar/East Village/ truand ?* Il faudrait tenter de lui soutirer le nom de l'établissement.

Elle souligna le mot *truand*. Leo avait suggéré que cela se référait peut-être à une opération d'infiltration, mais elle espérait quant à elle que c'était un indice qui la mènerait au bar lui-même.

Avec le nom, elle pourrait demander aux employés s'ils se souvenaient de Kendra et de son rendez-vous mystérieux. Étant donné que cinq années s'étaient écoulées depuis le meurtre, ses chances étaient minces mais elle pouvait toujours essayer.

Elle se leva et se dirigea vers son bureau. Pendant des années, la seule photo qui l'ornait avait été celle de Greg, Timmy et elle sur la plage à East Hampton. Elle y avait ajouté depuis une photo d'Alex, Timmy, Leo et elle au Lincoln Center à la sortie d'un concert de jazz. *Voyons,* pensa-t-elle. Elle alluma son ordinateur et tapa : « New York City Bar Truand » dans le moteur de recherche.

Le résultat fut un article sur des enquêtes d'infiltration concernant des trafics de drogue dans plusieurs bars, un nouveau restaurant à la mode appelé Au Grand Banditisme dans l'Upper East Side, et un groupe de rock du nom de Les Truands.

Pas très concluant.

Elle s'apprêtait à poursuivre sa recherche sur un moteur différent quand le téléphone sonna. Elle entendit Grace répondre depuis la pièce voisine : « Je crois qu'elle est en réunion, mais je vais vérifier. » Deux secondes plus tard, elle passait la tête à la porte. « C'est Dana. »

Inutile d'en dire davantage. Dana Licameli était la secrétaire du patron de Laurie, Brett Young, ce qui faisait d'elle la personne la plus patiente des studios Fisher Blake. « Elle dit que Brett est hors de lui. Il veut te voir sans délai », ajouta Grace.

Laurie jeta un regard à sa montre. Elle avait rendez-vous avec Kendra dans quarante-cinq minutes. Le trajet en taxi prendrait une demi-heure à cette heure de pointe.

« J'ai rendez-vous en ville à trois heures, expliqua-t-elle.

– Tu sais que tu peux inventer n'importe quel prétexte pour t'excuser, mais je connais Dana. Cette fois-ci, ça ne ressemble pas aux crises habituelles de Brett. »

Laurie contempla son ordinateur, espérant y trouver le nom du bar qu'elle cherchait, mais elle savait que Grace avait raison.

Elle passait devant son bureau quand elle l'entendit dire au téléphone. « Laurie arrive dans un instant, Dana. Tâche de calmer ton patron avant qu'elle pousse la porte. »

16

L SUFFIT à Laurie de jeter un coup d'œil à Dana Licameli pour constater que Grace ne s'était pas trompée. Dana lui faisait toujours part de l'humeur de Brett avant qu'elle entre dans son bureau. Aujourd'hui, elle se contenta de secouer la tête d'un air navré en la faisant entrer dans l'antre du fauve.

Brett n'était pas arrivé à la tête des studios Fisher Blake par hasard. Il était coriace et sévère, et ne tournait jamais autour du pot. Son esprit fonctionnait avec une longueur d'avance et il attendait que le monde entier se règle sur son pas. Plus d'une fois, il avait reproché sèchement à Laurie de ne pas s'exprimer assez vite, pour l'accuser ensuite de parler à l'allure d'une mitraillette comme les personnages des vieux films. Mais sa longue carrière lui donnait tous les droits, et Laurie supposait que son allure classique d'homme de télé – crinière de cheveux gris, mâchoire carrée – avait été un atout supplémentaire.

Ce jour-là, il ne prit même pas la peine de la saluer. « Kendra Bell », lâcha-t-il sans plus d'explications.

Elle aurait dû se douter que Ryan filerait rapporter à Brett qu'elle avait décidé de mener cette interview sans lui. Combien de temps allait-elle supporter qu'il lui tire dans les pattes auprès du patron ?

« Je dois la retrouver dans quelques minutes, dit Laurie, qui regarda sa montre avec ostentation. Ryan avait un empêchement – une séance de gym, en fait – et c'était le seul moment où Kendra était disponible. » Laurie détestait devoir justifier chacune de ses décisions pour la seule raison que Ryan cherchait toujours à obtenir davantage de pouvoir.

Brett fronça les sourcils, l'air à la fois irrité et perplexe, et leva la main pour l'interrompre.

« Pourquoi avez-vous pris rendez-vous avec elle si vous refusez le cas de Martin Bell ? »

Laurie comprit aussitôt qu'elle faisait fausse route. Ce n'était pas Ryan qui avait parlé de Kendra à Brett : c'étaient Robert et Cynthia, ses beaux-parents.

Elle secoua la tête. « Je n'ai jamais refusé cette affaire, Brett. C'est une longue histoire, mais pour faire bref, Kendra a accepté de participer. Quand je l'aurai rencontrée, je connaîtrai sa version des faits et je pourrai m'assurer de la présence des participants nécessaires pour commencer à travailler.

– Vous avez la femme et les parents de la victime. Qu'est-ce qu'il vous faut de plus ? Ce type était une célébrité avant même que son meurtre fasse les gros titres. »

Comme toujours, Brett ne manquait pas de lui rappeler que l'Audimat – et non la qualité du travail journalistique – était le moteur de leur métier.

« Je suppose que vous avez parlé aux parents de Martin Bell », dit-elle.

Il croisa les bras sur sa poitrine et se renfonça dans son fauteuil. Au moins ne semblait-il plus disposé à lui sauter à la gorge. « Pas directement. Mais leur comptable est le partenaire de tennis d'un membre de mon association d'étudiants de Cornell. » La chaîne des connexions donnait le tournis à Laurie mais elle comprit l'essentiel. « J'ai promis d'essayer de débloquer les choses.

– Message reçu, dit-elle en lui adressant un bref salut. J'aurais espéré que vous me feriez suffisamment confiance, depuis le temps, pour savoir que j'ai toujours une bonne raison pour refuser une affaire.

– "Faites confiance mais vérifiez", comme disait l'autre[1]. » Elle soutint son regard jusqu'à ce qu'il ajoute : « Mais j'en prends note. »

Elle s'apprêtait à partir quand il poursuivit : « La prochaine fois, essayez de tenir Ryan informé dès le début. Ce garçon est un tueur. »

---

1. « L'autre » étant Ronald Reagan. (*N.d.T.*)

Laurie garda pour elle son sentiment de frustration. L'attitude de Ryan ne l'atteindrait pas.

En passant devant le bureau de Grace, une idée lui vint : « Dis-moi, comme s'appelle ce site que tu consultais la dernière fois avec Jerry quand vous cherchiez un nouvel endroit pour prendre un verre ? »

Les yeux de Grace, qui était impatiente de se montrer utile, se mirent à briller. « Tipsy-dot-com, annonça-t-elle. On a trouvé un endroit formidable pour les mojitos. Tu veux qu'on s'y retrouve un de ces quatre ?

– Pas maintenant, mais merci. »

À son bureau, elle ouvrit le site et chercha des bars dans les environs de l'appartement de Kendra Martin. Il y avait des pages entières de résultats, preuve que Downtown était encore à la mode.

Laurie cliqua sur « Affiner la recherche » et choisit la mention « Bars de quartier ». Trente-six résultats. À la seconde page, elle trouva ce qu'elle cherchait. Et la raison du terme « truand ».

Dans le taxi, elle composa le numéro de son père sur son portable. « Papa, peux-tu appeler ton contact à la police de New York et lui demander si le bar où traînait Kendra s'appelait Les Petits Truands ? C'est un bar d'habitués à une douzaine de blocs de son immeuble. »

Leo rappela quelques minutes plus tard. « Tu te souviens de ce que je t'ai dit hier ? »

Bien sûr qu'elle s'en souvenait : « Le policier reste silencieux s'il ne voit pas l'utilité de corriger la remarque. »

« Je lui ai demandé si c'était Les Petits Truands. Il m'a seulement répondu qu'il ne "ferait pas de commentaire". Puis il m'a dit que ma fille tenait de son père. Bon boulot, Laurie. »

Elle sortit ses notes pour son entretien avec Kendra et apporta un changement au sujet final : *Rdv aux Petits Truands.*

17

$\mathcal{L}$ES EFFLUVES de sauce tomate et de fromage frais
aiguisèrent l'appétit de Laurie quand elle poussa la
porte du restaurant Otto. Après la visite de l'appartement
à midi, elle n'avait pas trouvé une minute pour déjeuner.

Elle s'étonna de voir Kendra, encore vêtue de sa blouse
de travail, déjà installée au bar du restaurant, près d'un
homme de son âge. Son compagnon portait une chemise
blanche trop étroite pour lui, une cravate à rayures et un
pantalon de toile. Il n'était que trois heures de l'après-
midi et les seuls autres clients étaient un couple assis à
l'autre extrémité du bar. Laurie se dit que les habitudes
de Kendra n'avaient pas tellement changé en cinq ans,
après tout.

Cette dernière l'aperçut et sembla se redresser légèrement sur son tabouret en la voyant s'approcher. Une fois
que Laurie eut pris place sur le siège libre près d'elle, son
compagnon se pencha pour lui serrer la main. Il avait

un visage mince et agréable, dominé par des yeux perçants couleur noisette, des cheveux bruns clairsemés, et de grosses lunettes à monture foncée. « Désolé de m'incruster dans votre réunion, mais j'ai insisté pour que Kendra me dise où elle allait. Je suis Stephen Carter. Je travaille avec elle.

– C'est-à-dire qu'il est mon patron, précisa Kendra. Très protecteur par-dessus le marché. »

Laurie se souvint de l'avoir entendue mentionner ce nom lors de leur dernière discussion. Carter, le garçon qui avait fait ses études de médecine avec elle et l'avait engagée comme assistante.

Laurie se demandait pourquoi Kendra l'avait mis au courant de cet entretien. Elle s'était pourtant montrée inflexible la veille : elle ne voulait pas que son employeur actuel soit cité dans l'émission. Laurie se contenta de se présenter, sans mentionner son émission.

Le barman l'interrompit pour lui proposer un verre de prosecco. Il était chauve avec une barbe poivre et sel bien taillée.

« C'est ce que vous buvez tous les deux ? » demanda Laurie.

Kendra fit non de la tête. « Je ne bois pas beaucoup et de toute façon il est trop tôt. Excusez-moi, j'ai l'air de porter un jugement. Nous avons seulement commandé un café et de la glace. Ils ont le meilleur café du monde et des glaces délicieuses. Mais Dennis se fera un plaisir de vous préparer ce qui vous fait envie.

– Et comment ! » dit vivement le barman dénommé Dennis, qui louchait quand il souriait. « Et Kendra ne plaisante pas en disant que Stephen est protecteur. J'ai l'ordre strict de repousser quiconque cherche à l'importuner. Kendra est quelqu'un de bien. On l'aime beaucoup. »

Laurie comprenait maintenant pourquoi la jeune femme avait choisi cet endroit et y était venue accompagnée de son patron. Elle voulait qu'on la voie sous un jour différent de celui de ses beaux-parents.

Laurie commanda un cappuccino et, sur le conseils de Stephen, une glace à l'orange et au café.

« Je suis un habitué, déclara Stephen, pas besoin de m'en cacher. »

Laurie le coupa. « Kendra, nous pourrions discuter toutes les deux, lorsque nous aurons fini nos glaces ?

– Kendra m'a déjà expliqué qui vous étiez, et le motif de votre rencontre, continua Stephen. Nous sommes très proches, vous savez. Dans d'autres circonstances, nous aurions pu nous marier. C'est du moins ce que j'aimerais croire. »

Kendra jeta à Laurie un regard gêné. « Stephen et moi sortions plus ou moins ensemble à l'école de médecine. » Elle n'avait rien suggéré de tel quand elle avait évoqué cet homme la veille. « Et il est resté un ami très fidèle après tout ce qui s'est passé. Alors, naturellement, je lui ai confié que j'avais accepté de participer à l'émission.

– Et il faut que vous sachiez que Kendra n'est pas folle. C'est Martin qui essayait de le faire croire. Je l'ai vu de mes propres yeux.

– Vous étiez proche de Martin ? » demanda Laurie.

Stephen eut un rire amer. « Vous n'imaginez quand même pas que ce type suffisant et égocentrique aurait daigné fraterniser avec un misérable dermatologue sans le moindre pedigree.

– Martin n'était pas toujours gentil, dit Kendra, mais il m'a épousée. Et je ne suis pas exactement de sang royal !

– Non, mais tu es Kendra, ce qui est mieux dans une certaine mesure. »

Même quand les glaces leur furent servies – aussi délicieuses que promis –, Laurie nota que Stephen ne pouvait quitter Kendra des yeux.

« Si je comprends bien, vous n'êtes pas vraiment un fan du feu "docteur Miracle", dit Laurie.

– Docteur Miracle, mes… fesses, dit-il avec mépris. Kendra s'évertue à me rappeler tout ce que Martin Bell a fait de bien, mais j'enrage de le voir béatifié après sa mort, alors que Kendra est traînée dans la boue. Franchement, s'il était en vie, il aurait été démasqué à l'heure qu'il est.

– Démasqué pour quoi ?

– Pour avoir été un escroc. Un fraudeur. Et un sale type. »

Kendra soupira. « Oh, Stephen, je t'en prie, ne me fais pas regretter de t'avoir amené ici. »

Elle semblait confuse, mais Laurie avait appris que les gens étaient capables de feindre toutes sortes d'émotions. Elle se demanda si elle avait mis au point avec Stephen le numéro qu'il venait de faire. Laisser son ami dire du mal de la victime afin de se dédouaner.

« Kendra m'appelait souvent au téléphone, complètement affolée. Les gens la croyaient droguée ? Non, elle était seulement déprimée et angoissée. Martin l'avait conquise à la manière d'un prince charmant, mais après l'avoir enfermée dans son château comme épouse et mère, il la traitait horriblement mal. Il était infidèle. Il la méprisait. Et n'était même pas un bon médecin. Les procès ne manquaient pas. »

Kendra tressaillit, et une expression de surprise se peignit sur son visage. « Stephen, comment le sais-tu ?

– C'est toi qui me l'as dit.

– Je ne m'en souviens même pas, dit Kendra d'un air triste.

– Parce que tu n'étais plus toi-même à cette époque. En tout cas, dit-il en s'adressant à Laurie tout en avalant la dernière bouchée de sa glace, je voulais que vous sachiez que ces accusations n'ont pas été inventées par Kendra après la mort de Martin. Tout ce qu'elle va vous raconter, elle me l'a déjà dit. Je l'ai vue décliner tout au long de son mariage. Maintenant je vous laisse toutes les deux. Vous avez des tas de choses à vous dire. »

Laurie ne put s'empêcher de remarquer que lorsqu'il embrassa Kendra, il n'avait pas l'air pressé de relâcher son étreinte.

18

$\mathcal{K}$ ENDRA s'excusa aussitôt de la présence de son patron. « Comme vous le constatez, c'est mon plus fidèle défenseur. Dieu merci, il a toujours été là pour moi. Il a été le seul ami que j'aie gardé après la disparition de Martin.

– Pardonnez-moi, mais il semble qu'il soit désireux d'être un peu plus qu'un ami et un défenseur. »

Kendra balaya la remarque d'un geste. « Stephen ? Oh, il n'y a rien de tel. Même à l'époque où nous sortions ensemble à l'école de médecine, nous étions surtout des camarades.

– Il a pourtant déclaré que vous l'auriez épousé s'il n'y avait pas eu Martin.

– C'est de l'humour. Croyez-moi, c'était purement platonique. Écoutez, je suis veuve depuis cinq ans et je l'ai vu presque tous les jours. S'il nourrissait un vieux béguin, il m'aurait déjà fait sa déclaration, vous ne croyez pas ? »

Laurie décida de laisser tomber le sujet pour l'instant, mais se promit d'en apprendre davantage sur le Dr Carter. « En tout cas, il a beaucoup à dire sur Martin. Infidélité ? Poursuites judiciaires ? Vous ne vous rappelez pas lui en avoir parlé ?

– Si. Je lui ai parlé de la liaison de Martin. Personne ne m'a crue, parce qu'il les avait tous convaincus d'être un époux modèle, dévoué à sa pauvre femme handicapée.

– Mais vous avez dit ne pas vous souvenir d'avoir mentionné les poursuites judiciaires. »

Kendra haussa les épaules en arguant que tout cela datait, mais Laurie était certaine que quelque chose la tourmentait encore.

Il était temps pour elles d'aborder la question la plus importante. « Kendra, si vous n'avez pas tué Martin, qui l'a fait ? » Avant que la jeune femme ouvre la bouche, Laurie nota en vitesse dans son carnet le nom de Stephen Carter.

« Si je me souviens bien, cette liaison a commencé après la naissance de Mindy. Entre sa profession, ses relations et ses obligations mondaines, il avait toujours un emploi du temps chargé. Mais alors que les autres hommes auraient fait un effort pour rester à la maison avec leur adorable petite fille, Martin était de moins en moins là. Plus flagrant, il m'ignorait quand je lui demandais où il était. Il ne se donnait même pas la peine de mentir. Il me regardait avec mépris et partait sans une explication. »

Laurie n'avait aucun moyen de savoir si ce récit était vrai, et Kendra semblait ne pas se rendre compte à quel point le portrait détestable qu'elle faisait de Martin comme père de famille la desservait. « J'imagine que son attitude devait vous mettre en rage, dit Laurie.

– Si je lui faisais part de mes soupçons, il me traitait de folle. Il a dit à ses parents et à tous nos amis que j'étais jalouse et paranoïaque, que je l'accusais de me tromper sans aucune raison. Si bien que lorsque je cherchais du réconfort auprès d'eux, il avait déjà monté tout le monde contre moi. Vous avez vu ce vieux film, *Hantise* ?

– Avec Ingrid Bergman ? » demanda Laurie.

C'était le film préféré de sa mère, une adaptation de la pièce de théâtre éponyme écrite dans les années 40 par Patrick Hamilton. Elle avait été adaptée au cinéma en Angleterre, mais la plupart des Américains se référaient à la dernière version, américaine, avec Ingrid Bergman, Charles Boyer et une jeune inconnue du nom d'Angela Lansbury.

Le film racontait l'histoire d'une jeune mariée que son mari manipule peu à peu jusqu'à la faire passer pour folle : il cache ses affaires, simule des bruits de pas dans le grenier, s'arrange pour que les lampes à gaz de la maison s'éteignent et s'allument sans raison apparente. Sans cesser de dire à sa femme que ces bizarreries sont le fruit de son imagination.

« Voilà à quoi ressemblait mon mariage avec Martin Bell. Il essayait de me faire passer pour folle auprès de tous ceux qui nous connaissaient. Mais je n'inventais rien. Une femme sait quand son mari est infidèle. La vérité est que Martin était le genre d'homme qui ne pouvait vivre seul. Ses liaisons étaient toujours sérieuses – deux autres femmes très brillantes m'avaient précédée. Rétrospectivement, je crois qu'il s'est marié parce que j'étais la seule dont la carrière ne lui ferait jamais d'ombre.

– Vous étiez à la fac de médecine. Vous aviez l'intention d'exercer. »

Au souvenir de ses rêves d'avenir une vague de tristesse envahit Kendra. « J'avais désiré par-dessus tout être pédiatre, un bon médecin, pas une star. Je pense sincèrement que Martin avait besoin d'une femme dans sa vie. Et même quand nous avons commencé à avoir des problèmes, j'étais auprès de lui. Mais un jour, il s'est passé quelque chose, et j'ai vite constaté qu'il allait voir ailleurs. J'en étais certaine. Martin avait un tel charisme. C'est pourquoi je l'ai épousé si vite. Il m'a littéralement subjuguée. »

Laurie se souvint d'avoir vu Martin Bell lors de ses apparitions à la télévision et de lui avoir trouvé une aura particulière. Comme Alex. *Et voilà comment ça se termine pour nous les femmes*, pensa-t-elle.

Kendra continuait à fignoler son histoire. « Tout le monde me soupçonne car il semble n'y avoir aucun autre suspect crédible. Mais s'il était tombé sous le charme de l'épouse d'un autre homme ? Il ne serait pas le premier amant à être assassiné par un mari jaloux.

— Avez-vous une idée de qui pourrait être cette femme ?

— Une idée ? » Ses yeux s'agrandirent. « Je suis absolument certaine que c'était Leigh Ann Longfellow. »

Le nom laissa Laurie abasourdie. « La femme du sénateur Longfellow ?

— Elle-même. J'en mettrais ma main au feu. »

19

LAURIE sentit un frisson lui parcourir le dos. La police de New York restait muette sur l'affaire et les parents de Martin usaient de toute leur influence pour juguler l'enquête. Et voilà que Kendra accusait Daniel Longfellow, le plus jeune sénateur de New York ! Il était impensable que Brett Young et les avocats des studios la laissent ne serait-ce qu'énoncer cette éventualité à la télévision sans preuves irréfutables pour l'étayer.

« J'ai lu tous les articles publiés sur cette affaire, Kendra, et pas une seule fois je n'ai trouvé mention du sénateur Longfellow ou de son épouse. »

Kendra leva les yeux au ciel d'un air théâtral. « Bien sûr que vous n'avez rien trouvé. Les Longfellow s'en sont assurés. Ils sont passés maîtres dans la manipulation de tout le système politique et des principaux médias. »

Laurie comprit pourquoi Martin n'avait eu aucun mal à convaincre leur entourage que sa femme perdait la raison.

« Vous pensez sérieusement qu'un sénateur a assassiné votre mari en plein Greenwich Village ? Celui qui a tué Martin s'est attaqué à lui alors qu'il se garait dans votre allée. Un voisin aurait pu facilement le reconnaître. » C'était inimaginable.

« Il n'était pas encore sénateur. Il était membre de l'Assemblée législative et ne représentait même pas notre district. Est-ce que vous reconnaîtriez un législateur d'un district éloigné au cours d'une séance d'identification ? »

Laurie prit quelques secondes pour se remémorer la nomination de Longfellow au Sénat des États-Unis. Après presque deux décennies de mandat ininterrompu des deux mêmes sénateurs de l'État de New York, l'un d'eux avait démissionné pour rejoindre le cabinet du Président. Avec un siège vacant au Sénat, le gouverneur de New York était habilité à nommer un remplaçant. Il s'était tourné vers une star montante, un ancien procureur du nom de Daniel Longfellow, très bel homme de surcroît. Trois ans auparavant, Longfellow avait été réélu pour un mandat de six ans, mais Laurie se rendait compte maintenant que sa première nomination avait eu lieu à peu près à l'époque du meurtre de Martin.

« Comment votre mari connaissait-il Mme Longfellow ?

— Ils avaient tous les deux fait leurs études à Hayden et faisaient partie du bureau des anciens élèves », dit Kendra. Laurie connaissait la Hayden School dans l'Upper East Side, l'une des écoles privées les plus prisées de New York. « Leigh Ann ressemblait à la jeune fille que j'étais quand j'ai rencontré Martin : toujours sur la brèche, toujours une longueur d'avance, une mentalité de meneuse. Et, comme moi à l'époque, parfaitement heureuse dans son rôle de femme de l'ombre derrière son "grand homme". Regardez ce qu'est devenu son mari, Daniel, avec Leigh Ann à son côté. Après la naissance de Mindy, Martin s'est porté bénévole pour présider la grande collecte de fonds annuelle en faveur de la Hayden School. Et devinez qui était la coprésidente ? Leigh Ann, bien sûr. Si elle pouvait passer autant de temps avec mon mari, c'est que le sien siégeait au parlement d'Albany. Soudain, Martin était plus souvent avec Leigh Ann qu'avec moi et les enfants.

– Avez-vous parlé à la police de vos soupçons ?

– Tout de suite. Je leur ai dit que si je les soupçonnais d'avoir une liaison, Daniel avait probablement les mêmes doutes. Je l'ignorais, mais la rumeur courait déjà que Longfellow était le successeur désigné du sénateur dès que la composition du cabinet serait annoncée. Que sa femme s'entiche d'une célébrité médicale aurait torpillé la carrière politique de Longfellow. »

Laurie avait vu Alex inquiet à l'idée qu'un politicien influent – voire un simple tweet malveillant – puisse entraver sa nomination au siège de juge. Il n'était pas inconcevable que quelqu'un de différent, de vraiment malfaisant, puisse tuer pour protéger son image politique.

« Savez-vous si la police a enquêté sur vos soupçons ? »

Kendra secoua la tête. « On aurait pu penser qu'ils me tiendraient au courant, moi, sa veuve, mais il a vite été clair qu'ils me considéraient comme une suspecte, et non comme un membre de la famille. Ses parents, en revanche, ont eu droit au tapis rouge. »

Laurie évoquerait la question avec les Bell quand elle leur parlerait. Elle le nota dans son carnet. « Pourquoi dites-vous que la police vous a soupçonnée ? Vous n'avez jamais été arrêtée ni même citée comme témoin clé.

– Ils n'en avaient pas besoin. Mais je l'ai bien vu à la façon dont les inspecteurs me regardaient quand ils sont arrivés cette nuit-là. Il était évident qu'ils ne m'aimaient pas.

– Qu'ils *ne vous aimaient pas* ? Une scène de crime n'est pas un test de personnalité.

– Je sais. Mais ils m'ont tout de suite cataloguée. Ils m'ont même demandé de passer un test de dépistage de drogue. J'ai refusé – pas sans mandat !

– Pardonnez-moi, Kendra, mais votre mari venait d'être assassiné. Pourquoi n'avez-vous pas voulu donner satisfaction à la police ? »

Kendra parcourut le restaurant du regard, s'assurant que personne ne pouvait les entendre. Trois autres clients étaient entrés, mais elles étaient à l'écart. Laurie eut le sentiment qu'elles devaient ce privilège à Dennis, le barman. « Parce qu'ils perdaient leur temps à m'interroger, quand je voulais juste qu'on retrouve le meurtrier de mon mari, répondit Kendra, sur la défensive.

– Je dois malgré tout vous poser la question : d'après de nombreux rapports, vous paraissiez amorphe, on a dit que vous aviez l'air "ailleurs" à cette époque, même après avoir appris la mort de Martin.

– Est-ce que je vous donne l'impression d'être droguée ? demanda Kendra.

– Maintenant ? Bien sûr que non ! Mais je ne vous connaissais pas il a cinq ans.

– Écoutez, je ne veux pas avoir à remuer tout ça à la télévision, mais je souffrais alors d'une grave dépression post-partum. Je crois que cela a commencé à la naissance de Bobby. C'est pourquoi je n'ai pas pu poursuivre mon internat. Mais ensuite, au lieu de me faire soigner, j'ai eu un second bébé. Je n'en suis pas fière, mais je n'ai pas été une bonne mère à ce moment-là. J'arrivais à peine à me lever le matin. Martin – en tant que médecin – aurait dû comprendre la source du problème et m'apporter de l'aide. Au lieu de quoi il tournait autour de la parfaite et délicieuse Leigh Ann et nous laissait, les enfants et moi, aux bons soins de cette pauvre Caroline. Après sa mort, j'ai consulté un psychothérapeute et obtenu les médicaments dont j'avais besoin. Mais ses parents refusent de voir que j'ai changé. »

Laurie s'en voulut de ne pas avoir envisagé elle-même l'éventualité de la dépression post-partum, qui expliquait tout. Une de ses amies en avait souffert pendant près d'un an après avoir donné naissance à son premier enfant.

« Vous croyez que vos beaux-parents ont toujours dans l'idée de vous arracher vos enfants ? demanda-t-elle.

– J'en suis sûre et certaine. Autant je souhaite et prie pour que vous arriviez d'une façon ou d'une autre à découvrir la vérité, autant j'espère qu'en participant à cette émission, je les amadouerai. C'est à cause d'eux que Martin était l'homme qu'il était – charmant et brillant, mais en fin de compte cruel et sans merci. Je ne veux pas que Bobby et Mindy soient élevés de cette façon. »

Laurie commençait à trouver Kendra plus sympathique, mais avait encore du mal à comprendre pourquoi elle ne s'était pas montrée plus coopérative avec la police. Second sujet de sa liste : « On a rapporté que vous aviez fait de nombreux retraits d'argent, mais que vous aviez refusé de dire à la police à quoi était destiné cet argent.

– Ce n'est pas que je *refusais*. Je n'en étais simplement pas *capable*. Je n'étais pas au meilleur de ma forme à l'époque. J'avais parfois besoin de sortir de la maison, et tout ce que vous faites à New York coûte de l'argent. Certains jours, je prenais seulement un taxi et demandais au chauffeur de me conduire à Staten Island ou à Jones Beach afin de trouver un peu de solitude. Ou bien j'allais faire des achats inconsidérés. Un jour, j'ai dépensé huit cents dollars pour une paire de Louboutin en imprimé léopard que je n'ai jamais portées. Taille 38, si ça vous intéresse », ajouta-t-elle avec un sourire triste. « Jeter l'argent par les fenêtres, c'était peut-être ma façon silencieuse de me venger de la liaison de Martin. »

Acheter sans compter en guise de rébellion… On était loin du meurtre, pensa Laurie.

« Je comprends qu'il vous faut reprendre l'interrogatoire de la police, mais je vous en prie, promettez-moi de tenir compte de ce que je vous ai dit à propos de Leigh Ann Longfellow. La police n'en a pas cru un mot.

– C'est le but de notre émission, lui assura Laurie. Nous examinons tous les angles possibles d'une affaire, raison pour laquelle je veux aussi vous parler des démêlés judiciaires évoqués par Stephen. Quelqu'un poursuivait-il Martin en justice ? »

Kendra balaya la question de la main. « C'est monnaie courante, quand vous êtes médecin. Autant j'ai désiré être pédiatre, autant je redoutais les poursuites inhérentes à ce métier. Et c'était pire pour Martin. Après tout, les gens qu'il soignait souffraient de douleurs chroniques. Ce n'étaient pas des cas faciles.

– En quoi consistaient ces poursuites ?

« – Franchement, je ne connais pas les détails. Martin avait cessé de me parler de choses sérieuses à ce moment-là. Après sa mort, les avocats ont conclu des accords avec la succession.

– Qui était l'avocat chargé de défendre Martin sur le plan professionnel ? Je pourrais vérifier certains détails.

– Je n'en ai aucune idée. »

Laurie nota à nouveau pour elle-même de se renseigner davantage sur les poursuites. Il ne lui restait qu'un sujet sur sa liste, et c'était le plus délicat. « Vous avez dit que vous sortiez de chez vous en quête de solitude. Alliez-vous dans les bars ? »

Kendra bougonna : « Les journaux m'ont dépeinte comme une loque qui se vautrait dans la vodka vingt-quatre heures sur vingt-quatre. Je vous l'ai dit, je souffrais de dépression post-partum. Renseignez-vous : vous pouvez vous sentir exténuée à un moment, puis agitée, prise de panique et confuse l'instant suivant. Je suppose que les gens prennent ça pour un comportement d'ivrogne.

– Vous n'aviez pas envie de sortir pour chercher de la compagnie ?

– Pas vraiment. Pour être franche, il y avait des jours où je ne prenais même pas de douche, c'était aussi horrible que ça. »

Laurie devait se montrer prudente. L'information selon laquelle Kendra fréquentait Les Petits Truands n'était jamais sortie dans la presse et elle ne voulait pas que Kendra se rende compte qu'elle en savait plus que ce qu'avaient rapporté les médias. Elle devait garder l'information pour le contre-interrogatoire qui aurait lieu au moment du tournage.

Elle continua sur le même mode : « J'ai remarqué que Stephen et vous aviez un ami ici en la personne de Dennis. Vous n'aviez pas un bar de prédilection à l'époque ? »

La réponse de Kendra claqua sèchement : « Je vous ai dit que non ! »

Laurie hocha la tête et rangea son crayon au dos du carnet, signifiant ainsi que leur entretien de la journée était terminé. « Merci encore de m'avoir consacré de votre temps, dit-elle. Nous vous contacterons quand sera venu le moment de programmer l'émission. »

Elle fit de son mieux pour bavarder amicalement en attendant que Dennis apporte l'addition, qu'elle paya avec la carte de crédit des studios.

Deux scoops, et les caméras ne tournent pas encore, pensa-t-elle. D'abord Kendra avait menti en disant à ses beaux-parents qu'elle était prête à participer à l'enquête sur la mort de Martin. Et maintenant Laurie était certaine qu'elle mentait à nouveau. La police avait certainement dit à Kendra qu'elle avait connaissance de ses rencontres avec un homme mystérieux aux Petits Truands. Il était impensable qu'elle ait pu l'oublier.

Je viens peut-être de prendre un cappuccino et une glace avec une personne capable de meurtre, pensa-t-elle. Elle ne veut pas que je connaisse l'existence des Petits Truands. Ce sera ma prochaine étape.

20

IL ÉTAIT presque cinq heures quand Kendra et Laurie sortirent du restaurant. Le soleil brillait encore, offrant un contraste bienvenu avec la pénombre qui régnait chez Otto. Laurie nota que Kendra était visiblement soulagée lorsqu'elles se séparèrent sur la Cinquième Avenue. Elle prit la direction du sud, vers Washington Square. Kendra quant à elle se dirigea à pas lents dans la direction opposée, savourant la tiédeur de l'après-midi, s'efforçant de calmer les pensées qui se bousculaient dans sa tête.

Au début, tout s'était déroulé comme prévu. Stephen s'était joint à elles pour bien faire comprendre à Laurie que Kendra était au courant de la liaison de Martin quand il était encore en vie. Il l'avait dépeinte comme quelqu'un de bien – ce que personne ne faisait plus Même Dennis s'y était mis.

Quand Laurie avait commencé à la presser de questions,

elle s'en était plutôt bien tirée. Elle s'y était préparée, sachant que Laurie l'interrogerait sur son état d'esprit, son mariage, les conflits avec la police, les retraits d'argent liquide. Si la conversation s'était terminée là, elle se serait sentie rassurée, sur un terrain sûr.

Ensuite Laurie avait amené en douce le sujet qui fâche : sa fréquentation des bars à la recherche de compagnie. C'était peut-être une question en l'air, question née de sa réputation d'alcoolique. Mais Kendra avait eu l'affreux pressentiment qu'il fallait y voir une allusion à l'homme qu'elle connaissait encore aujourd'hui sous le nom de « Mike ».

Le seul fait de penser à lui fit remonter du fond de sa gorge le goût du café et de la glace.

Elle avait juré sur sa tête – et sur celle de ses enfants – qu'elle participerait à l'émission sans dire un seul mot de son existence. *Et maintenant, comment je vais faire ?* pensa-t-elle.

Elle décida d'appeler « Mike », qui répondit dès la première sonnerie. « Tu as fini ton entretien ? »

Il avait mis le haut-parleur car elle entendait des bruits de moteur et de klaxons. Il devait être en voiture. Elle se surprit à parcourir nerveusement la rue des yeux, s'attendant à le voir.

« J'en sors.

– Et… ? »

125

Il lui avait ordonné de l'informer de chaque étape de la production et elle n'osa pas le contrarier.

« Elle n'a fait qu'évoquer des informations déjà connues. Rien que je ne puisse maîtriser. Elle ne m'a pas parlé de toi », ajouta-t-elle.

C'était vrai, même si…

« Quand dois-tu la revoir ?

— Je ne sais pas. Elle a dit qu'ils m'appelleraient au sujet du planning du tournage.

— Souviens-toi que si jamais tu leur parles de moi, je leur parlerai de toi. Tu iras en prison pour meurtre. Tes enfants seront confiés à leurs grands-parents, qui leur diront tous les jours que tu as tué leur père. En supposant qu'ils soient encore sains et saufs quand tu seras condamnée. »

La menace était claire. Elle se mit à trembler. « Je t'en prie, ne leur fais pas de mal.

— Alors ne m'y oblige pas. »

Elle se souvint tout à coup d'avoir dit à Martin, lors d'une dispute mémorable, qu'on aurait dû lui tatouer sur le front « Homme le plus cruel de la terre ». Aujourd'hui, elle avait affaire à quelqu'un de plus cruel encore que Martin. D'une voix sourde, elle murmura : « Je n'en parlerai à personne. Je le jure.

— Bon. Il faut qu'on se voie. »

Cette perspective lui glaça les sangs. Ce n'était pas une question d'argent. Elle était habituée à lui servir de pourvoyeuse de fonds. L'homme lui inspirait une terreur primitive, animale. « Quand ? » Elle entendit le tremblement dans sa voix.

« C'est pas comme ça que ça marche. Tu le sais. Je te téléphonerai, et tu viendras. Apporte comme d'habitude. »

Comme d'habitude, c'était neuf mille dollars en liquide. Il ne demandait jamais dix mille, chiffre à partir duquel la banque devait avertir le gouvernement, ce qui aurait déclenché une enquête. Elle entendit le grondement de sa voiture quand il accéléra, puis plus rien. Il avait raccroché.

Elle ferma les yeux et respira longuement, cherchant à retrouver son calme.

En racontant à Laurie comment son mariage s'était dégradé, elle avait évoqué le film *Hantise* dans lequel Ingrid Bergman commençait à douter de sa raison. *Martin m'a littéralement rendue folle, moi aussi*, songea-t-elle.

Ai-je réellement raconté à Stephen les poursuites pour faute professionnelle à l'endroit de Martin ? Je ne m'en souviens pas. Tout comme je n'ai aucun souvenir d'avoir dit les choses horribles que j'ai apparemment laissées échapper dans ce bar de quartier. Qu'ai-je pu faire d'autre dans l'état de confusion totale où je me trouvais ?

Bien qu'elle ne soit pas pratiquante, Kendra pénétra dans l'église épiscopale de la 10ᵉ Rue. On venait d'ouvrir les portes pour le service du soir, mais elle ne resterait pas longtemps. Elle se dirigea vers le rang du fond et s'agenouilla pour prier en silence, comme elle l'avait fait si souvent, demandant pardon pour un acte qu'elle n'imaginait pas avoir commis.

Saurai-je jamais la vérité ? se demanda-t-elle. *Saurai-je jamais si j'ai tué mon mari ?*

21

L E SOLEIL de ces premiers jours de printemps invitait les New-Yorkais à transformer Washington Square en plage publique. Des jeunes femmes s'allongeaient sur l'herbe en sortant du bureau ; des garçons, torse nu, lançaient leur Frisbee ; les passants s'attroupaient devant les animations, écoutaient le pianiste qui jouait du Chopin sous l'arche pendant que les danseurs de breakdance s'en donnaient à cœur joie près de la fontaine, noyant le piano sous la musique tonitruante de leurs énormes enceintes. Il flottait un air de renouveau, que chacun savourait après les jours sombres de l'hiver.

En s'enfonçant dans le cœur de l'East Village, Laurie cherchait à se représenter Les Petits Truands. Étudiante, elle avait fréquenté ce genre de bars, des caveaux avec des sols poisseux et des graffitis dans les toilettes, mais il y avait longtemps qu'elle n'avait pas passé sa soirée dans un sous-sol.

Elle poussa une lourde porte au bas d'un escalier raide et pénétra dans le bar, aussitôt assaillie par une odeur de bière que n'arrivait pas à masquer celle du désinfectant. L'happy hour approchait, mais l'endroit était désert. L'enseigne « Les Petits Truands » clignotait en caractères gothiques au-dessus du comptoir et des néons psychédéliques projetaient des ombres colorées sur les murs. Laurie imaginait mal Kendra assise au bar devant un verre ou attendant son tour au flipper au fond de la salle.

« Une minute », prononça une voix nonchalante venant de sous le comptoir. Un instant plus tard, une jeune femme au crâne à moitié rasé émergeait. S'approchant, Laurie vit les piercings des sourcils et des lèvres de la barmaid s'animer et son expression passa de l'indifférence à la surprise. Visiblement, la nouvelle venue ne ressemblait pas à la clientèle habituelle.

Laurie lui adressa un sourire amical. « J'aurais souhaité parler à quelqu'un qui travaillait ici il y a cinq ans. »

La barmaid la regarda d'un air ébahi. « Cinq ans ? » Pour elle, cela aurait tout aussi bien pu remonter à Mathusalem. Laurie se dit qu'elle devait encore être au lycée à l'époque.

Mais la fille ouvrit une porte où était affichée une pancarte : RÉSERVÉ AU PERSONNEL, et cria un nom. Elle se tourna vers Laurie : « Deb travaille ici depuis toujours, pour ainsi dire. »

Une femme plus âgée, aux traits creusés et au chignon défait, apparut. À son visage marqué, il n'était pas difficile de croire qu'elle avait « toujours travaillé » dans ce genre de bar. Huit années, en l'occurrence. C'était inespéré pour Laurie.

« Avez-vous connu une femme du nom de Kendra Bell ? » demanda-t-elle sans attendre en posant un billet de cinquante dollars sur le bar.

Deb sourit : elle avait de la mémoire tout à coup. « Je l'aimais bien. C'est triste ce qui est arrivé, hein ?

– Vous saviez qui elle était à l'époque ? La femme de Martin Bell, un médecin très en vue.

– Oh, pas du tout. C'était juste une habituée. On parlait de choses et d'autres, mais je connaissais même pas son nom. Elle se plaignait beaucoup de son mari, cependant. Disait que c'était un homme faux, cruel. Qu'il la trompait. » Deb désigna les bouteilles d'alcool alignées derrière le bar, mais Laurie secoua la tête. « Comme vous voulez », dit Deb en attrapant une bouteille de whisky Old Crow dont elle se servit un verre.

« Vous êtes certaine qu'il s'agissait de Kendra Bell ? poursuivit Laurie.

– Certaine. Elle m'a même raconté qu'elle avait fait médecine mais n'avait jamais exercé. Je l'ai pas crue à ce moment-là. Elle ressemblait pas exactement au modèle de l'étudiante consciencieuse. J'ai pris ça pour des propos d'alcoolique. »

Laurie observa à nouveau la salle, remarquant le tapis à poils longs suspendu au mur près du billard. La jeune barmaid avait de nouveau disparu sous le comptoir. « Elle venait toujours seule ? demanda Laurie.

– Habituellement, oui. » Deb fixa le plafond et cligna des yeux, cherchant dans ses souvenirs. « Mais je me rappelle l'avoir vue quelquefois traîner avec un type qui n'avait pas l'air commode. Le crâne rasé, le regard mauvais. On aurait dit qu'il cherchait à lui plaire. Ou peut-être à lui soutirer le prix de ses consommations en échange d'une oreille attentive. »

Laurie prit son téléphone dans son sac et afficha une photo de Stephen Carter. Que Kendra, veuve depuis cinq ans, ne soit toujours qu'une amie et une employée de Stephen laissait à penser qu'il n'y avait rien entre eux, mais Laurie ne voulait rien négliger.

Deb eut un petit rire rauque en voyant la photo. « Rien à voir. Lui, c'est Cary Grant à côté du type dont je vous parle. »

Laurie hocha la tête, se figurant un peu mieux le genre d'homme sur qui diriger ses recherches. « L'avez-vous revu depuis le meurtre de Martin Bell ?

– Jamais, ni elle ni ce type aux airs de voyou. Quand on a appris le meurtre et que j'ai vu sa photo de mariage dans le journal, je l'ai à peine reconnue. La pauvre était vraiment tombée bien bas. Je pensais lui présenter mes condoléances lors de sa prochaine visite, mais je n'en ai pas eu l'occasion. Elle n'est jamais revenue. Ni lui. » Elle s'interrompit et but une gorgée de whisky. « Vous la connaissez ? »

Laurie expliqua le principe de son émission et la reprise de l'enquête sur l'affaire Martin Bell. « Je réunis toutes les informations possibles sur Kendra Bell.

— Vous êtes pas la seule à penser qu'il y a quelque chose de bizarre chez cette femme. J'ai appelé la ligne de témoignages ouverte au public par la police. Je leur ai raconté qu'elle n'arrêtait pas de se plaindre de son mariage et je leur ai parlé aussi du type. Il y avait une récompense à la clé, j'allais pas rater le coche. Et c'était aussi par esprit de justice, ajouta-t-elle. Je l'aimais bien, c'est vrai, mais si c'est elle la coupable, elle doit aller en taule.

— Est-ce que vous nous permettriez de tourner une séquence ici ? Par exemple, vous pourriez vous entretenir avec notre présentateur et simplement répéter ce que vous venez de me dire ? »

Un grand sourire éclaira le visage fatigué de Deb. « Ce serait super. »

Laurie la remercia ainsi que la jeune barmaid et sortit du bar. Comme elle remontait l'escalier et retrouvait la lumière du soleil, elle eut la sensation désagréable d'être observée. *La description de l'homme mystérieux au regard mauvais m'a probablement impressionnée,* pensa-t-elle.

Mais en marchant dans Bowery Street vers la station de métro de Lafayette Street, elle ne put chasser l'impression qu'elle était suivie. Elle se réfugia dans un magasin de maroquinerie et regarda le flot des passants défiler sur le trottoir. Son cœur manqua un battement à la vue d'un homme de grande taille, au crâne rasé, qui s'arrêtait au croisement de la 3ᵉ Rue avant de prendre la même direction qu'elle. Il portait des lunettes d'aviateur, et elle se demanda si elles cachaient ce regard « mauvais » que Deb avait décrit.

Elle se détourna rapidement de la vitrine en adressant un sourire confus à la vendeuse, saisit son portable dans son sac, prête à composer le numéro de la police si nécessaire, et sortit du magasin.

Elle jeta un coup d'œil par-dessus son épaule. Le grand type marchait derrière elle, à un demi-bloc de distance. Ils échangèrent un regard et il accéléra le pas.

Laurie entra précipitamment dans une autre boutique, quelques mètres plus loin. De l'intérieur, elle chercha à voir s'il allait la suivre dans le magasin, cette fois. Mais à nouveau, il n'en fit rien. Il traversa la rue d'un pas pressé. Le cœur de Laurie cognait dans sa poitrine. *Il me suivait et il sait que je l'ai identifié*, pensa-t-elle. *Où va-t-il maintenant ?*

Postée derrière la vitrine, elle le perdit de vue au moment où un break blanc qui était stationné derrière un gros camion démarra dans Bowery. Tordant le cou, elle crut voir l'homme se courber et se redresser avant de disparaître à nouveau de son champ de vision. La main tremblante, elle composa maladroitement le 911 sur son portable, laissant son pouce pressé sur la touche d'appel, impatiente qu'un policier décroche.

Ce n'est que lorsque le feu passa au vert et que le break tourna à gauche sur la 2ᵉ Rue qu'elle comprit pourquoi l'homme avait paru si décidé. Il tenait la main d'une jeune femme qui portait un bébé dans un sling sur son ventre. Laurie put même voir que cet homme qui l'avait tellement terrifiée portait un T-shirt « Angry Birds » similaire à celui que Timmy avait délaissé deux ans plus tôt.

Elle se moqua d'elle-même, penaude d'avoir laissé son imagination s'égarer. Elle avait beau se sentir stupide, elle attendit néanmoins une bonne minute avant de remercier l'employée du magasin et de regagner le trottoir. Et quand elle vit le signal lumineux d'un taxi libre, elle le héla sans réfléchir. On n'est jamais trop prudent.

Installée à l'arrière de la voiture, elle passa en revue ce qu'elle avait appris au cours de l'après-midi. Il fallait qu'elle en sache plus sur Stephen Carter et les poursuites intentées contre Martin Bell, mais ses pensées la ramenaient malgré elle aux Petits Truands. Après avoir parlé à Deb, elle était persuadée que Kendra était bien la femme dont elle se souvenait. Elle avait peut-être simplement eu besoin de s'échapper de chez elle, de fuir quelques instants son mariage malheureux, mais pourquoi mentir ? Laurie était sûre que tout était lié à l'homme mystérieux, et elle sentit à nouveau un frisson lui parcourir l'échine.

Elle était tellement plongée dans ses réflexions qu'elle ne remarqua pas le break blanc qui avait fait demi-tour dans Bowery et s'engageait à nouveau dans la circulation, derrière son taxi.

22

QUEL DRÔLE DE COUPLE, se disait l'homme au volant de son break, accélérant pour passer à l'orange. Le couple en question se tenait sur le trottoir, entre la 2e et la 3e Rue, attendant de traverser. L'homme mesurait au moins un mètre quatre-vingt-dix, il avait le crâne rasé et portait des lunettes d'aviateur. L'apparence d'un vrai dur. Mais il portait aussi un T-shirt à l'effigie d'un personnage de dessin animé et tenait par la main une petite femme blonde qui serrait son enfant contre son ventre.

L'image du bonheur. Mais lui, il n'y croyait pas.

Quinze ans plus tard, il aurait grossi. Elle se serait mise à boire. Et leurs enfants, maussades et pas très malins, comprendraient que leurs parents se détestaient.

En matière de mariage, il était pragmatique. D'accord, la lune de miel, ça existe, mais ensuite, quand la vie vous attire dans ses chausse-trapes ? Quand la jolie fille commence à se faner ou est incapable de sortir de son

136

lit, combien de temps faut-il à l'heureux mari pour lui trouver une remplaçante ? Et si papa se retrouve dans la file des demandeurs d'emploi ? Non, ce « Pour le meilleur et pour le pire, dans la joie et dans la peine », c'était des foutaises – il n'y avait qu'égoïsme et trahison.

Il lança un regard par la vitre côté passager, tentant de repérer à nouveau sa proie. C'était ainsi qu'il pensait à Laurie Moran : comme à une proie.

Quelques mois plus tôt, alors qu'il traversait une de ses périodes creuses, il avait passé trop de temps affalé dans le canapé à regarder la télévision. Devant un documentaire sur les caméléons, il avait failli changer de chaîne en voyant des lézards passer du rouge au rose, au vert puis au jaune et au bleu. Il fallait être idiot pour ignorer que ces horribles bestiaux pouvaient changer de couleur !

Mais le présentateur s'était alors mis à parler de leurs yeux. Les paupières des caméléons sont jointes, à l'exception d'une ouverture étroite comme une tête d'épingle. Mais au lieu de rendre le lézard aveugle, cette caractéristique permet à chaque œil de tourner indépendamment de l'autre dans toutes les directions, comme une sorte de périscope. Ainsi, les caméléons sont-ils dotés d'une vision à 360°. Ils peuvent débusquer en même temps proies et prédateurs. Un caméléon peut tout voir.

Imaginez un peu. Avoir un coup d'avance en permanence. Personne ne pourrait vous rouler ni vous duper, c'est sûr.

En ce moment, au volant de son break blanc, c'était ce qu'il ressentait – il était tout-puissant. En ce qui le concernait, il n'y avait pas de prédateur, seulement une proie. *Ils ne me voient pas*, pensa-t-il, *mais je vois tout*.

Si ce n'est... attends... où est-elle passée ? Il l'avait suivie depuis le bar. Elle avait longé Bowery, il en avait fait autant, et maintenant il l'avait perdue de vue. Elle ne pouvait pas avoir marché si loin. Dès que le feu était passé au vert, il s'était mis sur la file de gauche dans la 2e Rue, espérant pouvoir faire le tour du bloc et la retrouver.

Quand il atteignit le croisement de Broadway et de la 3e Rue, il s'arrêta le long du trottoir devant une bouche d'incendie et se tassa sur son siège, scrutant la rue. Son pouvoir lui échappait. La rage lui donnait envie de monter sur le trottoir et de faucher tous ceux qui se trouveraient sur son passage.

Son pied hésitait sur l'accélérateur quand il la vit soudain sortir d'une boutique de l'autre côté de la rue. Elle fit quelques pas avant de héler un taxi. Il compta jusqu'à trois et s'engagea derrière le véhicule.

Où vas-tu maintenant, Laurie Moran ? Et combien de temps devrai-je attendre avant que la vie te tende quelque chausse-trape ?

23

ÈS LE MOMENT où elle franchit la porte de son immeuble, Laurie se sentit en sécurité. Elle attendit que le portier sorte de la réserve une montagne de paquets et les remette à une jeune femme que Laurie avait déjà croisée dans l'ascenseur.

« Voulez-vous de l'aide ? proposa-t-elle.

— Merci, je vais me débrouiller, répondit la femme. Ça m'apprendra à être une accro des achats sur Internet. »

Laurie regarda avec admiration la femme entamer son périlleux trajet vers l'ascenseur, la pile de paquets oscillant à chacun de ses pas.

Primo lui lança un sourire entendu une fois qu'ils furent seuls. « Elle n'exagère pas en parlant d'addiction. Demain cette même personne redescendra, renverra tout et demandera à être remboursée. Le livreur d'UPS menace de ne plus desservir l'immeuble si elle ne se calme pas. »

Laurie mesura à nouveau, avec un pincement au cœur, combien elle regretterait cet endroit si Alex et elle finissaient par trouver un appartement. « Dites-moi, Primo, est-ce que, par hasard, on est venu vous poser des questions à mon sujet ? »

Une expression soucieuse se peignit sur le visage du portier. « Pas à ma connaissance. Vous attendez quelqu'un ? »

Laurie secoua la tête, mais sentit une inquiétude sourde l'envahir. « Non, mais je voulais m'en assurer.

— Nous sommes toujours là pour vous. Vous le savez, n'est-ce pas ?

— Merci. Mais ne vous en faites pas, il n'y a aucune raison de s'alarmer. »

J'ai pourtant bien la sensation d'avoir été suivie, se dit Laurie. *Manifestement pas par le colosse qui avait rendez-vous avec la jeune femme. Mais une intuition me dit d'être prudente.*

« Primo, malgré tout, voulez-vous faire quelque chose pour moi ? Si vous voyez quelqu'un qui donne l'impression de surveiller l'immeuble, avertissez-moi.

— Nous sommes toujours très vigilants en ce qui vous concerne, Miss Laurie, mais nous allons l'être encore plus. »

Quand Laurie sortit de l'ascenseur, elle fut assaillie par une délicieuse odeur d'ail et de romarin qui lui fit regretter de ne pas avoir commandé un plat à emporter au restaurant italien où elle avait rencontré Kendra. Ce n'est qu'en ouvrant la porte qu'elle se rendit compte que les effluves venaient de chez elle. On distinguait à peine les notes apaisantes d'« Almost Blue » de Chet Baker dans un brouhaha de voix. *Quel bonheur, se dit-elle, qu'à neuf ans mon fils aime le jazz plutôt que le boum-boum que j'entends habituellement à la radio.*

Elle accrocha son sac au portemanteau et fut aussitôt accueillie par un « Hello, maman ! » de Timmy. Il était dans la cuisine et tournait d'une main experte une cuiller en bois dans la plus grande des casseroles sous l'œil attentif de Ramon. « Que faites-vous ici tous les deux ? demanda-t-elle.

— Une idée du patron », répondit Ramon avec un sourire en désignant le salon du pouce.

Alex s'était déjà levé et la prenait dans ses bras. Il était encore en tenue de ville, mais avait desserré sa cravate et ôté sa veste.

« Quelle belle surprise ! » s'exclama Laurie.

Leo était installé dans son cher fauteuil devant son émission favorite de la chaîne sportive ESPN, *Pardon the Interruption*. Il s'agissait d'un débat entre divers présentateurs sur les événements sportifs de la journée et Laurie lui fut reconnaissante d'avoir baissé le volume.

« Tu étais visiblement déçue par nos visites aujourd'hui, dit Alex en l'attirant près de lui sur le canapé. J'ai pensé

141

qu'une soirée calme à la maison ne nous ferait pas de mal, même si Wonder Woman Rhoda ne nous a pas encore trouvé la demeure idéale. »

Leo fit la moue en entendant le nom de Rhoda. « Alex m'a mis au courant. Je ne peux pas croire qu'aucune copropriété dans cette ville ne saute sur l'occasion de vous avoir tous les deux plus mon petit-fils dans ses murs. C'est une stratégie de sa part. Elle espère vous forcer à diminuer vos prétentions, et pouvoir conclure une vente vite fait. Dites-lui qu'une copropriété qui a besoin de se renseigner sur les états de service d'Alex peut aller se faire cuire un œuf. »

Que Leo utilise cette expression était la preuve qu'il commençait à s'énerver. Laurie était habituée à l'entendre prendre sa défense, mais elle le soupçonnait d'avoir ses raisons pour critiquer Rhoda. Il ne voulait pas les voir s'installer trop loin de chez lui.

« Ne t'inquiète pas, papa. Nous avons bien précisé que nous n'avions pas l'intention d'habiter un immeuble dont la copropriété prendrait ombrage de l'une ou l'autre de nos professions – ou d'une ancienne profession, dans le cas d'Alex. Rhoda sait également que nous avons besoin d'espace pour un bureau et pour loger Ramon, et que nous voulons rester à proximité de l'école de Timmy et de chez toi. »

Les yeux de Leo brillèrent. « Et d'une autre chambre d'enfant, suggéra-t-il avec un sourire entendu.

— Chuut, fit Laurie. Si Timmy t'entend, ça va jaser dans son école. »

Leo rit. « Alors, tu ne nies pas, si je comprends bien.

— Et si on parlait plutôt du juge Maureen Russell, fit Laurie malicieusement.

— À propos, Leo, je l'ai rencontrée hier, dit Alex. Elle m'a dit qu'elle avait pris beaucoup de plaisir à parler avec vous à la réception. »

Laurie se réjouit de voir son père rougir. « Leo et Maureen. Ça sonne plutôt bien ! »

Leo leva les yeux au ciel, mais garda le sourire. « Gagné. Je déclare forfait. Je m'avoue vaincu. Ne parlons plus de chambre d'enfant. Vous pouvez avoir autant de pièces que vous voulez, je m'en contrefiche. »

Alex et Laurie échangèrent un clin d'œil. En réalité, ils avaient dit à l'agent immobilier qu'ils voulaient de la place, au cas où leur famille s'agrandirait un jour.

24

PLUS TARD dans la soirée, Laurie fit le tour de l'appartement, et éteignit toutes les lumières avant d'aller se coucher.

Alex l'avait prévenue qu'il devait prendre un petit-déjeuner tôt dans la matinée avec le juge dont il avait été l'assistant en sortant de la fac de droit. Son mentor souhaitait lui transmettre quelques règles de sagesse acquises au cours de ses années au banc des juges.

En quittant la cuisine, elle s'émerveilla de l'ordre et de la propreté qui y régnaient. Les comptoirs de granite resplendissaient, il n'y avait pas une miette par terre. Elle ne se rappelait pas avoir jamais cuisiné sans redouter le bazar qui s'ensuivait. Elle allait beaucoup apprécier d'habiter sous le même toit que Ramon.

Elle venait de se glisser dans son lit, contente de pouvoir finir le dernier roman de Karin Slaughter, quand son portable sonna sur sa table de nuit. C'était Ryan. Il n'appelait jamais aussi tard. En fait, il n'appelait jamais.

« Allô, dit-elle, sentant la migraine approcher à grands pas.

— Je n'étais pas sûr que vous seriez encore debout.

— Je viens de me coucher. Qu'y a-t-il ?

— Désolé, mais il faut que je vous pose une question. Connaissez-vous mon oncle Jed ? »

Laurie ne connaissait pas l'oncle de Ryan, mais elle savait que Jed avait été le camarade de chambre de Brett Young à l'université de Northwestern, ce qui avait sans nul doute aidé Ryan à décrocher ce job lucratif aux studios Fisher Blake. « Oui, je sais qui c'est. Eh bien, qu'y a-t-il ?

— Il se trouve que le mari de son éditrice siège au conseil d'administration d'une association d'aide à la lecture pour les enfants avec le père de Martin Bell.

— Je vois », fit Laurie sans enthousiasme, cherchant à se remémorer quelles relations Martin Bell et Brett Young avaient en commun. « Je crois qu'un autre des camarades de collège de Brett joue au tennis avec le comptable du Dr Bell. Apparemment, Robert Bell est un bottin mondain à lui tout seul. Il vous a appelé, c'est ça ? » demanda-t-elle, certaine que Ryan allait à nouveau en profiter pour prendre la main.

« Oui, il y a un instant, sur mon portable, en dépit de l'heure. Pour être franc, je n'aime pas beaucoup ce genre de pression. Il est clair que lui et sa femme pensent que

Kendra est coupable et veulent à tout prix que nous la poussions à apparaître à la télévision.

— Vraiment ? dit-elle, surprise par son ton désapprobateur.

— J'ai été poli, mais j'ai répondu que je les rappellerais. Vous avez pris votre décision ? »

Abasourdie, Laurie eut presque envie de lui faire répéter sa phrase. Voilà qu'il lui demandait son avis ! « Je pense que ce serait un formidable sujet pour nous, dit-elle, mais nous devons leur faire comprendre que nous mènerons notre enquête avec objectivité. Nous ne sommes pas leurs marionnettes.

— Absolument, convint-il. Nous pourrions nous entretenir avec les Bell dès demain. Si nous leur présentons un front uni, ils comprendront qu'ils ne peuvent pas nous manipuler.

— C'est… une très bonne idée. »

Pour la première fois, elle sentait que Ryan était vraiment de son côté.

Elle raccrocha, rassurée.

Sans se douter qu'à moins de trois kilomètres de là, un homme cherchait sur Google à se renseigner sur elle.

25

L E LENDEMAIN MATIN, le Dr Stephen Carter s'efforçait d'ouvrir la porte de son cabinet de dermatologie sur la Cinquième Avenue, les bras encombrés de
sa serviette, de son café et du bouquet de fleurs qu'il
avait acheté au coin de la rue. Comme souvent, il était
le premier. Il avait toujours été matinal.

Personne ne s'en serait douté en le voyant, mais il
aimait débuter la journée par un petit tour à la salle de
sport. Quelques mois plus tôt, il avait même engagé un
coach personnel. D'après le coach en question, il avait
augmenté sa masse musculaire de 8 %, mais personne ne
semblait le remarquer, même pas la femme qu'il cherchait
à conquérir depuis plus de dix ans.

Stephen savait qu'il n'était pas la séduction incarnée.
Il était réaliste. Au lycée, ses professeurs lui disaient que
son écriture manquait de naturel. Son prof de philo lui
reprochait de n'avoir « aucune imagination ». Après deux

ans d'espagnol, il n'était même pas capable de choisir son menu dans un restaurant mexicain sans s'attirer de petits gloussements compatissants de la part du personnel. Le seul domaine où il ne se sentait pas inférieur était celui des sciences. En année préparatoire, il avait acquis toutes les unités de valeur nécessaires. Alors pourquoi ne pas faire médecine ?

En bon pragmatique, il croyait que ses notes seraient tout juste suffisantes pour intégrer une école de médecine à l'étranger. Et après tout, passer cinq ans aux Caraïbes n'était pas une perspective désagréable, quand on avait grandi dans l'Iowa. Mais, à sa grande surprise, il avait été admis au New York Medical College. Ce n'étaient pas les Caraïbes, mais l'université était située sur une île – Long Island – et les débouchés seraient beaucoup plus intéressants.

Cependant, la difficulté des études de médecine était sans commune mesure avec celle des cours de sciences qu'il avait suivis. Sans Kendra, il ne serait peut-être pas allé au bout. Tout était si facile avec elle, qui savait expliquer les choses bien plus clairement que la plupart des professeurs. Et surtout, elle était tellement belle !

Il se souvenait de la première fois qu'elle l'avait embrassé. La veille de l'examen final de neurosciences. Persuadé qu'il allait le rater, il était dans tous ses états.

Elle lui avait demandé : « Stephen, pourquoi es-tu comme ça ?

– Comme quoi ?

– Comme si... Comme si tu ne te rendais pas compte de ta propre valeur ? » Et elle l'avait embrassé. Pas un baiser passionné, non, mais un long baiser plein de douceur. Stephen était resté sidéré, mais Kendra s'était bornée à le regarder d'un œil amusé et avait ajouté : « Tu peux attendre beaucoup plus de l'existence. » Puis elle s'était remise au travail.

Il avait obtenu un B à l'examen. Grâce à elle, il en était sûr, parce qu'il était entré dans la salle d'examen avec la confiance en soi de celui qui savait avoir mérité un baiser d'une fille comme Kendra.

Et il s'était mis dans la tête qu'ils sortaient ensemble. Mais entre les cours et les devoirs, il restait peu de loisir pour une vie amoureuse. Il lui avait fallu du temps pour comprendre qu'elle n'avait fait que lui témoigner de l'affection sporadiquement, pour rompre la monotonie de cette période.

Ses illusions avaient en tout cas volé en éclats le jour où elle avait fait la connaissance de Martin Bell. Martin était tout ce que Stephen n'était pas. Un jeune médecin brillant, issu d'une famille en vue de New York, beau, grand et mince. Il avait tout pour que Kendra tombe sur-le-champ amoureuse de lui, ce qui ne manqua pas d'arriver.

Elle déserta alors leurs séances de travail du soir pour retrouver Martin en ville. À la fin de l'année, elle ne l'appelait plus que pour lui demander de l'aide dans la préparation de son futur mariage.

Et il l'avait aidée, bien sûr. Il aurait fait n'importe quoi pour elle.

Stephen n'était peut-être pas beau, grand, mince et brillant. Il n'était pas non plus un habitué des plateaux de télé. Il était même entré de justesse à l'école de médecine, avait tout juste réussi les examens suivants. Malgré tout, il s'était plutôt bien débrouillé. Dix ans à peine après avoir fini ses études, il était à la tête d'un cabinet de dermatologie prospère, s'attachant non seulement à ce que ses patients aient meilleure apparence, mais aussi à ce qu'ils se sentent mieux.

Il brancha la musique d'ambiance dans les salles de soins et la réception, une chaîne de radio « lounge », puis remplit les brûle-parfums d'huile d'eucalyptus. Il était fier du nombre d'appréciations louangeuses qu'il avait obtenues sur le Net. Son cabinet y était décrit comme un havre de paix digne des meilleurs spas.

Il posa son café sur son bureau, sa serviette sur le fauteuil, et alla porter les fleurs qu'il venait d'acheter sur la petite table de travail de l'entrée, où trônait l'ordinateur de Kendra. Il déposa le bouquet près du clavier et griffonna un message sur le bloc à côté : « J'espère que ta réunion d'hier soir s'est bien passée et que tu vas bien. S. »

Stephen était réaliste. Kendra avait beau avoir épousé Martin, il n'avait jamais cessé de l'aimer. Elle lui était reconnaissante de lui avoir offert un job quand tout le monde lui tournait le dos. Résultat, il passait cinq jours par semaine en sa compagnie. À présent, elle l'invitait à assister aux compétitions sportives de ses enfants et à leurs spectacles à l'école. *Se rend-elle compte combien je lui suis dévoué ?*

Tout finira par s'arranger, conclut-il avec une profonde satisfaction.

26

À L'HEURE où Stephen Carter arrivait dans son cabinet, Laurie et Ryan se trouvaient dans le penthouse des Bell sur la Cinquième Avenue, à quelques pas du Metropolitan Museum. Après que le portier eut téléphoné pour avertir de leur venue, une domestique leur ouvrit la porte. Pendant qu'ils attendaient dans le salon, Laurie contempla la vue saisissante qui s'étendait du musée jusqu'à la cime des arbres du West Side.

Les Bell entrèrent et se dirigèrent vers le canapé. Ils ne ressemblaient en rien au couple en colère que Laurie avait reçu dans son bureau quelques jours plus tôt. Ils avaient l'air détendu, voire amical, et Laurie comprit qu'ils croyaient que Ryan avait pris leur parti.

Le Dr Bell les invita à s'asseoir. Ryan avait préparé quelques mots pour briser la glace. Il avait appris que les Bell avaient pour ami un de ses professeurs de l'école de droit. Le frère de ce professeur avait opéré la sœur du

Dr Bell trois ans auparavant. Cynthia interrompit leur échange pour leur offrir un café qu'ils refusèrent poliment tous les deux.

« Laurie, dit Robert, Ryan nous a donc annoncé hier soir que vous aviez changé d'avis et envisagiez de reprendre l'enquête sur Martin, mais que vous désiriez nous parler avant d'aller plus loin. »

Laurie ne jugea pas nécessaire de préciser que c'était Kendra, et non elle, qui avait changé d'avis. « Oui, je voulais m'assurer que nous étions sur la même longueur d'onde concernant le principe de notre émission. » Elle leur servit l'introduction qu'elle utilisait habituellement dans ses premiers contacts avec les familles dont elle souhaitait la coopération. Elle souligna que la volonté du studio était la découverte de faits nouveaux ou jusque-là négligés et le réconfort que pouvait apporter l'émission aux parents des victimes, à défaut d'aboutir à une résolution de l'affaire. « En même temps, ajouta-t-elle, il s'agit d'informer, et pour chaque émission nous observons les mêmes règles que celles auxquelles se soumet tout journaliste. Ce qui signifie que nous respecterons vos sentiments de parents, mais que nous demeurerons objectifs. Nous rapporterons l'histoire dans sa totalité, quelles que soient les conséquences.

– Bien sûr, approuva vivement Cynthia en hochant la tête.

Le Dr Bell sembla moins convaincu. Une expression inquiète traversa son visage. « Vous n'êtes pas réellement certains de la culpabilité de Kendra, n'est-ce pas ? »

Laurie choisit ses mots avec soin. « Nous ne formulons pas ce type de conclusion sans avoir de preuves pour l'étayer.

— Dans ce cas, trouvez-en, des preuves », dit-il d'un ton cassant.

Ryan se pencha en avant sur sa chaise et prit la parole : « Croyez-moi, docteur. J'ai vu comment travaillait Laurie lors de ses enquêtes. Son talent égale celui des meilleurs agents du FBI auxquels j'ai eu affaire lorsque j'étais au bureau du procureur. S'il faut trouver une preuve, elle la trouvera.

— Il faut bien comprendre, expliqua Laurie, que nous ne partons pas *a priori* d'une conclusion pour ensuite mener notre enquête en fonction de ce choix. Nous gardons l'esprit ouvert, ce qui signifie que nous examinons toutes les hypothèses et tous les suspects possibles. Y compris Kendra, bien entendu. Mais, pour rester objectifs, nous ne pouvons pas laisser les familles des victimes — même les père et mère — intervenir dans l'enquête. »

Cynthia observa le regard de son mari passer de Ryan à Laurie.

Il finit par dire : « Nous comprenons. »

Laurie s'étonna de voir Ryan sortir de sa serviette deux accords de participation, déjà remplis et prêts à être signés.

Au moment d'apposer sa signature, le Dr Bell tenta une dernière fois de démontrer la culpabilité de Kendra. « Je suis certain qu'elle sait toujours aussi bien user de son charme, dit-il. Nous l'aimions beaucoup au début de leur relation. Mais vous ne l'avez pas connue à cette époque. Elle a un esprit pervers. Elle a pris notre fils dans ses filets et, dès l'instant où il a été piégé, elle est devenue quelqu'un d'entièrement différent.

– Vous n'avez jamais envisagé qu'elle ait pu souffrir d'une dépression post-partum ? » demanda Laurie, se rappelant l'explication qu'avait donnée Kendra de la détérioration de son état après la naissance de ses enfants.

« Pfff », fit Cynthia, écartant d'un revers de main cette hypothèse. « Comment peut-on être déprimée quand on a de si beaux enfants ? Je n'ai jamais été aussi heureuse que lorsque Martin était petit.

– Mais je suis sûre qu'en tant que médecin, monsieur Bell, vous savez que toutes les femmes n'éprouvent pas ce sentiment, insista Laurie en se tournant vers l'intéressé.

– Je vous en prie. Une petite dépression est une chose. Kendra avait complètement perdu la tête. Le pauvre Martin était affreusement malheureux. Il savait qu'il avait commis une erreur terrible en l'épousant.

– Qu'est-ce qui vous fait dire qu'elle avait perdu la tête ? » demanda Laurie.

Elle se souvenait que Kendra lui avait raconté que Martin la faisait passer pour folle auprès de ses amis.

Ce fut au tour de Cynthia de répondre : « Martin nous a confié que Kendra était soi-disant déprimée et qu'elle devenait de plus en plus paranoïaque. Elle l'accusait de la tromper et d'avoir tenté de l'éloigner de ses enfants en engageant Caroline. Pour l'amour du ciel, la seule raison pour laquelle il avait engagé cette nounou était qu'il n'aimait pas laisser Kendra seule avec les enfants. Il craignait qu'elle mette le feu à la maison – accidentellement ou non ! Dieu merci, nous avions insisté pour qu'ils signent un contrat en béton avant leur mariage.

— Si le contrat était aussi solide, pourquoi Martin n'a-t-il pas simplement demandé le divorce ?

— Il était piégé à cause des enfants, dit Robert Bell d'un ton las. Il se souciait avant tout de Bobby et de Mindy. Il restait à cause d'eux. Il avait même consulté un avocat pour évaluer ses chances d'obtenir la garde des enfants s'il quittait Kendra. Mais vous connaissez la chanson : il était le mari et elle la mère au foyer. Il n'y avait aucune garantie qu'il gagne, et il ne voulait pas prendre de risques. Nous non plus. Martin était notre seul enfant, et Bobby et Mindy sont nos seuls descendants. Ils doivent rester dans la famille.

— Et vous pensez que Kendra savait qu'il avait consulté un avocat ?

— Je suis certain qu'elle était au courant, dit-il. C'est pour cette raison qu'elle l'a tué.

156

– Et aujourd'hui, vous la croyez encore incapable d'élever vos petits-enfants ? demanda Laurie.

– Qu'elle en soit capable ou non n'est pas le sujet, répliqua catégoriquement Cynthia. Pour commencer, elle n'est presque jamais avec eux. Elle a repris le travail, bien qu'elle ait largement de quoi vivre confortablement de ses rentes. À notre avis, si elle a gardé la nounou, c'est uniquement pour qu'elle n'aille pas raconter ce qu'elle sait à la police. Comment réagiriez-vous si la personne qui a tué votre fils était chargée d'élever vos petits-enfants ? C'est une question de justice. »

Laurie comprit qu'elle n'amènerait jamais les Bell à admettre ne serait-ce que la possibilité de l'innocence de Kendra.

« Pourquoi dites-vous que Caroline pourrait dévoiler certaines choses à la police ? demanda-t-elle. Vous pensez qu'elle en sait plus long qu'elle ne l'a raconté ? » D'après tous les témoignages, Caroline avait appelé les secours aussitôt après avoir découvert le corps de Martin. Non seulement elle avait témoigné de la présence de Kendra dans la maison au moment du coup de feu, mais elle avait dit à la police qu'il lui avait fallu plusieurs minutes pour tirer celle-ci de son sommeil quand elle était montée dans sa chambre pour lui annoncer que son mari venait d'être assassiné.

« Je suis convaincue que Caroline a voulu protéger Kendra, affirma Cynthia. Elle est mal à l'aise, agitée, chaque fois qu'elle se trouve en notre présence. Elle est rongée par la culpabilité, c'est évident. Elle cache quelque chose. Même si Kendra est coupable, Caroline est profondément attachée à nos petits-enfants, et elle est persuadée que nous la congédierions si nous en obtenons la garde. Nous avons pourtant essayé de lui faire comprendre que nous la garderions.

– Nous interrogerons à nouveau Caroline, je vous le promets, leur assura Laurie. Mais avant de nous quitter, nous devons aborder deux sujets qui pourraient vous heurter. Je préfère être franche avec vous.

– Allez-y », dit Robert Bell en changeant de position sur le canapé. « Que désirez-vous savoir ? »

Laurie sentit qu'elle devait marcher sur des œufs avec les Bell, et elle choisit la question qu'elle jugeait la moins explosive : « Lors de la succession de Martin, les avocats ont plusieurs fois conclu des arrangements financiers pour mettre fin à des poursuites judiciaires qui visaient son activité médicale. Nous aurions aimé avoir plus de détails.

– Il n'en est pas question, dit Robert vivement. Nous avons choisi de régler ces affaires à l'amiable pour protéger la réputation de notre fils. Après la mort de Martin, ces grippe-sous d'avocats ont eu le culot d'augmenter leurs prétentions sous prétexte qu'il n'était plus là pour se défendre. C'était écœurant. Nous avons même ajouté personnellement de l'argent aux règlements proposés par les compagnies d'assurances pour que les plaignants signent des accords de confidentialité. Étant nous-mêmes liés par ces accords, je crains que nous ne puissions vous communiquer quelque information que ce soit, même si nous le voulions. Mais faites-moi confiance : il n'y a aucune raison de penser que ces poursuites aient un rapport avec la mort de notre fils. »

Laurie aurait souhaité être en mesure d'en faire la preuve elle-même, mais comment persuader les Bell de violer un accord juridique ? Il lui faudrait trouver un autre moyen de connaître les détails de ces poursuites. Elle nota de demander à Alex quelles étaient les différentes formes de contrat de confidentialité.

« Bien, dit-elle, abandonnant la question pour le moment. Venons-en au deuxième point. Vous l'avez vous-même abordé récemment. Martin vous a dit que Kendra l'avait accusé d'être infidèle. »

Ils se rembrunirent. « C'était faux, rétorqua Cynthia. Franchement, Kendra a eu de la chance que les Longfellow ne la poursuivent pas pour diffamation. Daniel était sur le point d'être nommé au Sénat au siège devenu vacant.

— Ainsi vous savez que Kendra soupçonnait votre fils d'avoir une relation avec Leigh Ann Longfellow ? demanda Ryan.

— Évidemment, dit Cynthia. Réfléchissez : nous connaissons Leigh Ann depuis toujours. Sa mère, Eleanor, et moi sommes restées des amies proches, et nous faisons partie du même groupe de bridge qui se réunit lorsque nos emplois du temps le permettent. »

Robert interrompit sa femme : « Son père, Charles, était l'un des grands manitous de Wall Street avant sa mort il y a peu de temps. Une excellente famille sous tous rapports.

– De plus, poursuivit Cynthia, quand nous nous réunissions entre amis, les plus grands de nos enfants gardaient les plus petits – ce genre de chose. Ainsi, pour Martin, Leigh Ann était comme une petite sœur. Par la suite, ils ont travaillé ensemble au bureau des anciens élèves. Ils avaient plusieurs années de différence, mais tous deux avaient fréquenté la même école. Martin nous a avertis dès que Kendra a proféré cette accusation ridicule. Il craignait que les divagations de sa femme se répandent. Il ne voulait pas que Leigh Ann ou ses parents aient vent de ces rumeurs. Il était affreusement embarrassé. Nous avons réglé le problème de la seule manière qui s'offrait à nous.

– C'est-à-dire ? demanda Laura.

– J'ai appelé Eleanor, répondit Cynthia. Je lui ai dit que Kendra traversait une période difficile. Qu'elle était… malade. Que cette maladie avait pris la forme d'une obsession dirigée contre Leigh Ann, et que nous faisions l'impossible pour maîtriser la situation. Mais en dépit des efforts de Martin pour rassurer Kendra, elle est devenue de plus en plus paranoïaque. Un jour, elle nous a même suppliés de mettre fin à cette liaison qui, naturellement, n'était qu'un effet de son imagination délirante.

– Mais comment pouvez-vous en être absolument sûre ? s'étonna Ryan. Excusez-moi d'envisager cette éventualité, mais je sais que je ne disais pas à mes parents tout ce que j'avais fait de répréhensible et dont je n'étais pas très fier. »

Laurie devait admettre que Ryan était probablement mieux placé qu'elle pour aborder ce point particulier.

« Nous connaissions notre fils, assura Cynthia. Ce n'était pas le genre d'homme qui trompe sa femme. Et nous connaissons Leigh Ann, ainsi que son mari, le sénateur. C'est un couple lié par un amour véritable, une association solide. Lui est un homme politique talentueux, mais c'est Leigh Ann qui mène la barque. C'est elle qui l'a poussé à se présenter à l'assemblée d'État, elle qui a dirigé sa campagne en coulisses. Elle est brillante. À mon avis, c'est elle le cerveau du couple. Ils sont pleins d'admiration l'un pour l'autre. Imaginer que Martin et elle aient pu être ensemble n'a tout simplement aucun sens.

– Et vous n'avez pas besoin de nous croire sur parole, ajouta Robert. Nous avons appris que la police avait examiné les allégations de Kendra après la mort de Martin, et on nous a assuré qu'il n'en était rien sorti. Pas de liaison. Martin et Leigh Ann ont fréquenté le même lycée et organisé ensemble le dîner de levée de fonds, c'est tout. Quant aux insinuations de Kendra, d'après qui le mari de Leigh Ann – aujourd'hui notre sénateur – était impliqué

161

dans le meurtre, elles n'ont aucun sens. Leigh Ann et lui étaient à Washington quand Martin a été assassiné.

– Quelle honte qu'ils aient été mêlés à cette histoire ! dit Cynthia en secouant la tête. Je vous en prie, ne laissez pas Kendra répéter ces inepties à l'antenne. Nous ne voulons pas voir notre fils traîné dans la boue. »

Cynthia essuya furtivement une larme, rappelant à Laurie que les Bell avaient mobilisé tous les moyens à leur disposition par amour pour leur fils. Et ils lui faisaient à présent confiance pour traiter le cas de Martin de façon responsable. « Merci à tous les deux de nous laisser enquêter sur cette affaire. Je vous promets de faire tout ce qui est en mon pouvoir pour la résoudre. »

27

« ℬON TRAVAIL », murmura Ryan tandis qu'ils se dirigeaient vers l'ascenseur. « Je pense qu'ils ont compris que vous ne vous laisserez pas faire.

— Merci, dit-elle. Vous m'avez été d'une grande aide. Sincèrement. À propos, avez-vous un moyen d'en savoir davantage sur ces procès intentés à Martin ? Je ne veux pas les rayer de l'enquête sans un minimum de recherches.

— Je comprends. Même avec un accord de confidentialité concernant les arrangements financiers, je devrais avoir accès aux dépôts de plaintes. Nous aurons connaissance des arguments invoqués, mais nous ne saurons pas si, oui ou non, ils auraient pu être reçus par le tribunal.

— Tout ce que vous trouverez m'intéresse, dit-elle. Merci.

— Malheureusement, je ne vois pas comment vous aider avec les Longfellow. Selon les Bell, la police les a mis hors de cause, mais comment en avoir le cœur net ? Je peux peut-être m'informer à mon club de golf. Nous y avons probablement des amis communs.

– En fait, j'ai ma petite idée pour joindre le sénateur », dit Laurie.

Elle croisait les doigts pour que ce soit vrai.

De retour à son bureau, Laurie trouva Jerry penché par-dessus l'épaule de Grace, les yeux rivés sur l'écran de son ordinateur. Ils sursautèrent à sa vue.

« Pourriez-vous cesser d'avoir l'air consterné chaque fois que je débarque, comme si j'étais Brett Young jaillissant comme un diable de sa boîte ? » dit-elle.

Elle remarqua que Grace cliquait sur sa souris pour fermer des onglets sur son écran.

« Qu'est-ce que vous manigancez encore ?

– Rien », dit Jerry d'un air innocent.

Ce qui ne fit qu'augmenter les soupçons de Laurie.

« Tu parles ! » dit-elle sèchement.

Dès qu'elle fut assise à son bureau, elle appela Alex.

« Allô, dit-il. J'étais sur le point de t'envoyer un texto. Est-ce que tu as lu l'e-mail de Rhoda ? Elle voudrait nous faire visiter un appartement sur la 88ᵉ Rue et Lexington, après le bureau. Peux-tu y être à six heures ?

– Bien sûr. Elle cherche enfin dans le quartier qui nous convient. En attendant, j'ai une faveur à te demander. Pourrais-tu m'obtenir un rendez-vous avec le sénateur

Longfellow ? J'ai besoin de lui parler ainsi qu'à sa femme à propos de l'affaire Bell. »

Alex avait étroitement collaboré avec les équipes des deux sénateurs de l'État de New York durant les débats concernant sa nomination de juge. La veille au soir, Laurie n'avait pas trouvé un moment pour lui parler des soupçons de Kendra.

« Aïe ! » Elle imagina la grimace d'Alex à l'autre bout du fil. « Je ne crois pas que cet appel va lui faire plaisir.

– Je m'en doute. Mais l'autre option est d'entendre constamment mentionner leur nom à la télévision. Je présume qu'il souhaitera avoir la possibilité de présenter sa version des faits.

– Ah… cette bonne vieille tactique. »

Quand Alex faisait partie de l'émission, c'était ainsi qu'ils incitaient les témoins à coopérer. Ils leur décrivaient les conséquences qu'ils auraient à subir s'ils ne participaient pas.

« En mieux. Car, détrompe-toi, tu ne me connais pas encore par cœur.

– Ne t'inquiète pas. Tu m'étonneras toujours. Je vais appeler le bureau de Longfellow et voir ce que je peux faire. »

Le coup de téléphone suivant de Laurie fut pour Caroline Radcliffe. Ce n'était pas encore l'heure du déjeuner, Kendra devait être à son travail, les enfants à l'école, et Laurie voulait profiter de ce que la nounou était seule.

Caroline décrocha presque immédiatement. Laurie perçut une nuance d'appréhension dans sa voix quand elle lui expliqua qu'elle voulait lui parler de la nuit du meurtre de Martin.

« Tout ce que je sais a déjà paru dans les journaux, dit-elle.

— Kendra vous a sans doute expliqué le principe de notre émission. Elle a accepté d'y participer. Ça ne vous engage en rien, mais elle sait pertinemment que nous espérons vous voir y prendre part. »

Laurie s'attendait à ce que Caroline réponde qu'elle voulait d'abord en parler à Kendra, et fut étonnée quand elle lui demanda de venir la voir. « Mais il faudra que je fasse des courses et aille chercher les enfants à l'école à trois heures.

— Je peux être chez vous dans une demi-heure », dit Laurie.

28

CAROLINE RADCLIFFE lui ouvrit la porte, vêtue d'un jean foncé et d'une ample tunique jaune. Ses cheveux grisonnants étaient toujours coiffés en rouleaux serrés à l'ancienne mode, mais elle paraissait plus moderne que lors de la précédente visite de Laurie.

« Pour être tout à fait franche, dit-elle à celle-ci quand elles eurent pris place dans la cuisine devant un thé glacé, Kendra m'avait prévenue que vous demanderiez probablement à me voir. Sachez qu'elle m'a recommandé de vous répondre en mon âme et conscience. Je suppose que c'est vous et les parents de Martin qui l'avez poussée à prendre cette décision, mais maintenant qu'elle a donné son accord, elle espère sans doute qu'il en sortira quelque chose de favorable. Qui peut imaginer la douleur de perdre ainsi le père de ses enfants, et de n'avoir aucune explication à leur donner ? »

Moi, pensa Laurie.

Elle écouta avec attention Caroline lui rapporter les événements de la nuit où Martin Bell avait été assassiné. Le bruit de la porte du garage, suivi de trois détonations. Sa course précipitée dans l'allée et sa découverte de Martin Bell mortellement blessé. Son appel affolé au 911 et ses efforts pour réveiller Kendra de ce qu'elle appelait poliment une « sieste ».

« Et où étaient les enfants pendant tout ce temps ?

— Je leur ai raconté que les bruits étaient des pétards et je les ai fait monter dans leur chambre. Mais quand Kendra s'est réveillée et a vaguement compris ce qui s'était passé, je les ai emmenés chez des voisins. J'ai pensé qu'ils avaient droit à une nuit de sommeil normale avant que leur vie soit bouleversée.

— C'est vous qui avez pris cette décision ? demanda Laurie. Pas leur mère ? »

Caroline pinça les lèvres et détourna le regard. « Comme je l'ai déclaré à la police, elle avait encore l'esprit embrouillé à ce moment-là.

— Était-elle fréquemment dans cet état ?

— Elle traversait une période très difficile. Je pense qu'elle vous a dit qu'il s'agissait d'une dépression post-partum.

— Oui je m'en souviens. Mais je voudrais connaître votre opinion. »

Caroline haussa les épaules. « Quand le Dr Bell m'a engagée, il m'a prévenue que sa femme "n'était pas bien" depuis la naissance des enfants, en particulier celle de Mindy. J'ai

168

présumé qu'il s'agissait d'une dépression. J'avais déjà observé les mêmes symptômes chez des jeunes mères. »

Laurie eut l'impression que Caroline s'apprêtait à en dire davantage, mais elle s'interrompit.

« Le cas de Kendra vous a paru différent ? »

Caroline hocha lentement la tête. « On aurait dit... un zombie. Elle semblait souvent plongée dans un rêve. Ce n'était peut-être qu'un cas sévère de post-partum, mais... »

Caroline n'eut pas besoin de terminer sa phrase. Il était clair qu'elle avait des doutes.

« Les parents de Martin semblent croire que vous avez gardé des informations qui pourraient les aider à obtenir la garde des enfants. Ils disent que vous êtes très attachée à Bobby et Mindy.

— Bien sûr que j'aime ces enfants. Presque comme s'ils étaient les miens. »

Laurie vit une lueur de désespoir traverser le regard de Caroline et en conclut que les soupçons des Bell étaient sans doute justifiés. Elle cachait quelque chose. « Je vous pose cette question à titre tout à fait confidentiel, Caroline : si vous deviez trancher, diriez-vous que Kendra est innocente ? »

Caroline pâlit et secoua la tête, les yeux soudain pleins de larmes.

« Vous avez des doutes. » Laurie exprimait à voix haute ce que la malheureuse n'arrivait pas à dire. Caroline hésita, puis hocha la tête, essuyant ses larmes avec la manche de sa tunique.

Laurie posa doucement la main sur son bras. « Si vous avez des doutes, les enfants ne manqueront pas d'en avoir à la longue », dit-elle en soutenant son regard. « Ils sont encore petits, et vous cherchez à les protéger – exactement comme lors de cette horrible nuit. Mais ils vont grandir et ils se poseront la question que tout le monde se pose depuis cinq ans. Ils regarderont leur mère et se demanderont si cette femme qui les a élevés a tué leur père dont ils se souviendront à peine. C'est trop difficile à vivre, Caroline. Les secrets ont pour habitude de faire surface des années plus tard. Il vaudrait mieux que la vérité émerge sans attendre. »

Caroline renifla et repoussa la main de Laurie. « J'ai vu l'argent », dit-elle d'une voix sourde. « Les retraits d'argent dont parlait la police. Je trouvais des liasses de billets – des billets de cinquante, de cent, peut-être des milliers de dollars en tout, cachés dans son tiroir à chaussettes et derrière ses chaussures dans la penderie. Et puis un jour, tout a disparu. »

L'information était d'importance, mais Kendra avait déjà reconnu qu'elle faisait des achats de façon compulsive. « Jeter l'argent par les fenêtres était peut-être ma façon silencieuse de me venger de la liaison de Martin. »

L'expression de Caroline se durcit. « Kendra a assez souffert comme ça ! s'écria-t-elle. Elle mène enfin ce qui ressemble à une vie normale. Elle ne se drogue plus. Elle a un travail qui lui plaît. Et il est évident que le médecin pour lequel elle travaille est amoureux d'elle.

– Cependant, l'interrompit Laurie d'une voix calme, je sais qu'il y a quelque chose que vous ne m'avez pas dit. Et si cela venait à être révélé pendant le tournage, ce serait bien pire que de l'apprendre maintenant. »

Caroline croisa les bras et son regard devint vague comme si elle regardait à travers Laurie, dans une autre dimension. « Cette nuit-là, dit-elle pensivement, j'ai secoué Kendra si violemment que j'ai eu peur de lui faire du mal. Je hurlais que Martin avait été assassiné. Et brusquement, elle a paru comprendre ce que je disais. Elle s'est redressée et a dit – je ne l'oublierai jamais – "Je suis donc enfin débarrassée de lui". Elle semblait à la fois terrifiée et – j'ose à peine le dire – heureuse. Elle était libre. »

Laurie resta interdite. Aussi malheureux qu'ait été ce mariage, comment imaginer qu'une femme puisse se réjouir du meurtre du père de ses enfants ?

Caroline tenta de justifier ce qu'impliquaient les paroles confuses de Kendra. « Je ne crois pas qu'elle le pensait vraiment, dit-elle. C'était sa première réaction, et ça en dit long sur son état. Elle était affreusement mal. Il ne s'agissait pas d'une confession ni de rien.

– Peut-être, dit Laurie, mais c'est important pour nous de le savoir. Quoi d'autre ? »

Elle laissa la question en suspens, persuadée que Caroline n'avait pas tout dit. Celle-ci se lança :

« Eh bien… cet argent dont je vous ai parlé. Elle continue de l'amasser. De plus, la somme a augmenté. »

29

LE MAÎTRE D'HÔTEL du Daniel les accompagna jusqu'à une table tranquille au fond du restaurant. Sans attendre, Alex commanda deux martinis.

Laurie sourit. « Si j'avais su que, chaque fois qu'on visiterait un horrible appartement, tu m'inviterais à dîner au Daniel, j'aurais demandé à Rhoda de remplir mon agenda avec ce qu'elle a de plus minable depuis belle lurette. »

On était vendredi soir, et Timmy passait la nuit chez un petit camarade. L'appartement de quatre chambres que Rhoda venait de leur proposer avait beaucoup de potentiel – la bonne dimension, la bonne disposition et le bon voisinage. Mais c'était une chance qu'ils l'aient visité en sortant du travail, car ils étaient à la moitié de la visite quand le couple de l'étage au-dessus était rentré. À travers les conduits d'aération, Laurie, Alex et Rhoda avaient clairement entendu Trina accuser Mark de lui avoir menti. Il n'était pas allé à une conférence à Denver, mais à Atlantic City avec sa secrétaire. Ils eurent droit aux protestations de Mark et à la déclaration finale de Trina : « Je n'aurais jamais dû t'épouser ! »

« Vu la façon dont les bruits traversent les murs de cet immeuble, vous imaginez les réactions des résidents si Timmy joue de la trompette ? » avait demandé Laurie.

Elle repoussa une mèche de cheveux sur le front d'Alex. « Je t'en prie, dis-moi que nous ne deviendrons jamais comme Mark et Trina. »

Alex éclata de rire. « Ne t'inquiète pas, j'ai horreur d'Atlantic City ! »

Laurie roula sa serviette en boule et fit mine de la lui jeter à la figure.

Le serveur se présenta avec les martinis et la carte. Lorsqu'ils furent seuls à nouveau, ils trinquèrent. « Pour ne jamais devenir comme ces gens », dit Laurie d'un ton résolu avant de porter son verre à ses lèvres. « Et maintenant, n'y pensons plus.

– *Amen*, conclut Alex. Parlons plutôt de choses importantes. J'ai pu joindre l'assistant du sénateur Longfellow. Lorsque je lui ai dit clairement que l'émission aurait lieu, avec ou sans lui, il a accepté de t'accorder une demi-heure d'entretien, avec Leigh Ann, ce mardi dans l'après-midi. Il a insisté pour que tu les interroges ensemble, jusqu'à ce que je lui fasse remarquer que tout journaliste mettrait en doute une information obtenue dans ces conditions. Il a hésité, tergiversé, et fini par accepter que tu les voies séparément.

— Chapeau, Votre Honneur.

— Pas de photographe, cependant, et il veut que ça se passe chez eux pour ne pas courir le risque qu'on te reconnaisse à son bureau et qu'on commence à poser des questions. Autre chose : il refuse catégoriquement que tu viennes avec plus d'une personne de ton équipe pour éviter que ça tourne au cirque.

— Je ferai avec, dit Laurie.

— Dommage pour lui qu'il ne sache pas que si tu donnes trente minutes à Laurie Moran, elle ne te lâche pas jusqu'à ce que tu aies craché tout ce que tu as dans le ventre.

— On verra bien. » Laurie baissa la voix. « Même si Martin Bell et Leigh Ann ont eu une aventure, on imagine mal le sénateur Daniel Longfellow en meurtrier. Après tout, si cette prétendue liaison avait été connue, il aurait été le conjoint malheureux. Les électeurs auraient surtout compati. Et il serait devenu le célibataire le plus convoité de Washington.

— Sans compter qu'ils n'ont pas d'enfants, souligna Alex. Il aurait pu simplement obtenir le divorce et poursuivre sa route. »

Laurie secoua la tête. « Pas de motif, pas de signes avant-coureurs de violence. Je n'y crois tout simplement pas. En revanche, ce qui est plus crédible, c'est une Kendra jalouse et pleine de rancœur engageant un tueur à gages dans un bar du Lower East Side, puis lui refilant les billets de cinquante et cent dollars cachés dans son tiroir à chaussettes. Je la vois bien le payer – encore aujourd'hui – pour qu'il garde le silence, sachant que ses beaux-parents n'ont qu'un désir : l'envoyer en prison et lui prendre ses enfants. »

Laurie essaya de chasser cette image de son esprit. Elle avait l'impression d'avoir travaillé non-stop toute la semaine ; ce soir, elle ne voulait plus penser à Martin et Kendra Bell. Elle but deux gorgées de son martini tout en étudiant le menu. Sans presque en avoir conscience, elle dit tout haut ce qui lui trottait dans la tête. « Timmy et moi, nous devrions venir habiter chez toi. Tu as toute la place voulue. »

De surprise, Alex lâcha la carte qu'il tenait à la main. « Sauf que c'est trop loin de l'appartement de ton père et de l'école de Timmy. En outre, tu aurais l'impression d'être chez moi, pas chez toi. Et c'est à toi que cela tenait tellement à cœur.

– Eh bien, je n'ai plus le cœur à visiter tous ces appartements. Nous ne nous sentirons jamais chez nous dans aucun.

– Un jour nous trouverons ce qu'il nous faut, ne t'inquiète pas.

– Il nous reste aussi à fixer une date, à réserver un endroit, bref, à prendre toutes les dispositions pour notre mariage. Alex, je crains de m'être montrée égoïste en disant que je préférerais une cérémonie modeste. Je ne suis pas sûre de t'avoir demandé ce que tu voulais, toi. Tu aimerais un grand mariage ?

– Grands dieux, non !

– Alors de quoi as-tu envie ?

– Je désire la plus courte distance entre deux points.

– Ce qui veut dire ?

– Ça veut dire que je souhaite que nous nous mariions et vivions sous le même toit le plus vite possible. Voilà ce qui me rendrait heureux. »

Il s'interrompit un instant, puis ajouta : « Laurie, j'y ai beaucoup réfléchi, et je sais ce qui me ferait plaisir. Une cérémonie religieuse intime avec nos familles et nos amis proches, suivie d'un dîner convivial. Fixons une date vers la fin août. C'est la période des vacances judiciaires. Cela te laissera le temps d'adapter ton propre emploi de temps. Et si nous le pouvons, une lune de miel juste après. »

Laurie sourit. Lui retournant son sourire, Alex murmura : « Je t'ai dit ce que je désirais. Qu'en penses-tu ?

– Ça me paraît absolument parfait. »

Et ce serait parfait. Elle le savait. Elle avait longtemps été persuadée qu'il n'y aurait personne après Greg. C'était resté vrai jusqu'au jour où elle avait rencontré Alex, deux ans plus tôt. Et maintenant, dans à peine cinq mois, elle allait épouser son second et dernier grand amour.

30

*L*AURIE sortit de l'ascenseur de Fisher Blake en jean et T-shirt à l'effigie du NYPD, une tenue peut-être trop décontractée, mais après tout on était dimanche. Leo avait emmené Timmy chez Alex pour regarder le match de baseball entre les Yankees et les Red Sox. La pensée des trois hommes de sa vie passant du temps ensemble, comme une vraie famille, lui arracha un sourire. Cela lui laissait en outre la possibilité de cette séance de travail improvisée.

Ryan l'attendait à la porte de son bureau, un dossier à la main.

« J'espère que je ne vous gâche pas votre dimanche. À la réflexion, je me disais que cela aurait aussi bien pu attendre demain. »

Ryan l'avait appelée trente minutes plus tôt, tout excité par ce qu'il avait découvert en étudiant les procès intentés à Martin Bell pour faute professionnelle. Laurie, que la propension de Ryan à vouloir qu'elle accoure toutes affaires cessantes pour écouter ses idées de génie agaçait parfois, savait que cette fois, c'était différent. Cette recherche, il l'avait faite à sa demande, et d'habitude il ne travaillait pas le week-end.

Elle l'invita à s'asseoir, et il en profita pour s'affaler dans son meilleur fauteuil.

« Trois actions en justice ont été intentées, commença-t-il. Dans toutes on accusait Martin d'avoir prescrit abusivement des antidouleurs à des patients, dont certains sont morts. Rien de vraiment surprenant, si l'on considère sa réputation de médecin miracle. J'ai toujours pensé que ce livre était un peu trop beau pour être vrai. »

Laurie se souvint du titre du *New York Times* le lendemain de sa mort : « Le médecin de la douleur assassiné ». L'article s'employait à consolider l'image de Martin Bell, celle de l'homme qui avait révolutionné le traitement de la douleur, préférant aux calmants et à la chirurgie des approches holistiques telles que la méditation ou la réduction du stress.

Quand Martin avait publié son best-seller, *Pour une nouvelle approche de la douleur*, sa carrière avait fait un véritable bond. Il avait quitté le service de neurologie de l'université de New York, s'était établi à son compte, prônant l'homéopathie, la kinésithérapie et des méthodes psychologiques face à la douleur. Fréquemment invité dans les débats télévisés, il condamnait volontiers les chirurgiens interventionnistes et les médecins qui vous bourraient de médicaments. Si ces poursuites judiciaires avaient été rendues publiques, il serait passé en vingt-quatre heures du statut de gourou à celui de charlatan.

Laurie se demanda aussitôt s'il pouvait y avoir un lien entre ces poursuites et le crime.

« J'ai demandé à un vieux copain de regarder si certains des plaignants avaient un casier judiciaire. » Ryan feuilleta ses dossiers et en tira une liasse de documents. « Une certaine Allison Taylor prétend être devenue dépendante à l'Oxycontin. Le Dr Bell lui avait prescrit cet analgésique pour soulager son cancer des os. Or il s'avère que cette femme a une liste impressionnante d'infractions au code de la route.

– Un chauffard n'est pas forcément un assassin, lui rappela Laurie en se calant dans sa chaise, les bras croisés sur sa poitrine.

– Exact. C'est pourquoi je suis plus intéressé par un autre personnage, George Naughten. À soixante-sept ans, sa mère souffrait de douleurs chroniques après avoir été percutée sur le Long Island Expressway par un jeune conducteur qui écrivait des textos. J'ai cru un instant qu'il s'agissait de cette fameuse Allison ! » dit Ryan en riant.

Laurie hocha la tête. Qu'il en vienne au fait !

« Donc, sa mère consulte médecin après médecin sans résultat », continua Ryan, passant au mode narratif. « Au bout de deux ans elle entend parler du Dr Bell, en écoutant *Good Morning America*, et décide d'aller le voir. Comme il n'est pas conventionné, elle doit le payer de sa poche. Elle va même jusqu'à emprunter de l'argent. Rien ne marche au début, mais Bell finit par trouver un cocktail de médicaments qui soulage sa douleur. D'après les plaintes en justice, les médicaments avaient transformé cette femme en véritable zombie, mais au moins ne souffrait-elle plus le martyre. Puis un jour, George trouve sa mère sans vie. Le médecin légiste diagnostique une overdose. George affirme qu'outre les médicaments délivrés en pharmacie, Bell lui en donnait d'autres directement dans son cabinet. »

Laurie s'étira sur sa chaise, perplexe. « Et vous dites que ce George a un casier ? »

Ryan leva la main. « Attendez, ce n'est pas tout. C'est ici que les choses deviennent vraiment intéressantes. Un an avant l'assassinat du Dr Bell, George Naughten avait fait l'objet d'une ordonnance restrictive à la demande d'un garçon de vingt ans, un dénommé Connor Bigsby, ordonnance qu'il n'a pas respectée. » Il désigna le rapport de police devant lui.

Laurie fit un rapide calcul. « J'imaginais Naughten plus vieux, étant donné l'âge de sa mère.

– Trente-cinq ans à l'époque, quarante et un aujourd'hui. Curieux de savoir ce qui l'avait amené à entrer en contact avec un jeune homme de vingt ans, j'ai demandé les minutes de son procès pour violation d'une décision du tribunal. »

Ryan, très excité, poussa une nouvelle liasse de documents devant Laurie. « Devinez quel est le lien entre ces deux-là. »

Laurie sourit, impressionnée. Elle avait rarement vu Ryan à l'œuvre, mais à présent il était clair qu'il aurait été brillant dans une salle d'audience. « Connor Bigsby était le conducteur de la voiture impliquée dans l'accident de sa mère ? »

Ryan prit un air entendu. « Ah, c'est une hypothèse tentante, n'est-ce pas ? Mais c'est plus tordu encore. La personne qui conduisait la voiture était en fait une jeune femme partie poursuivre ses études au Texas peu après l'accident. Connor Bigsby était l'ami qui lui envoyait un texto.

— C'est incroyable, dit Laurie en étudiant les minutes du procès de George Naughten. Et cela a suffi pour qu'il considère le jeune homme comme responsable de l'accident de sa mère. Il semblerait qu'il y ait une petite faille dans son raisonnement. »

Ryan lui indiqua une partie du texte qu'il avait soulignée. « Regardez. L'ordonnance restrictive a été délivrée après que George Naughten eut débarqué à plusieurs reprises dans le magasin d'articles de sport où travaillait Connor. Il l'insultait, le traitait d'ordure, disait qu'il devrait être en prison pour voies de fait – un harcèlement continu. Puis un jour, Naughten a attendu dans sa voiture devant le magasin et foncé sur lui, le manquant de peu. Connor a raconté qu'il l'aurait renversé s'il n'avait pas fait un saut de côté. D'où l'ordonnance.

— Pourquoi n'a-t-il pas été poursuivi pour tentative de meurtre ?

181

– Le procureur a sans doute estimé qu'on ne pouvait pas démontrer l'intention de nuire… encore moins de tuer. Mais ils ont convoqué tous les autres exemples de harcèlement pour obtenir cette interdiction de s'approcher à moins de trente mètres du jeune homme. Il ne l'a pas respectée. Un jour, la mère de Connor l'a aperçu dans sa voiture de l'autre côté de la rue, surveillant leur maison. Elle a appelé la police et ils l'ont arrêté. Mais écoutez la suite. » Ryan passa à une autre page, marquée par un Post-it jaune. « Naughten a fait appel à un psychiatre pour sa défense. Le psy a témoigné que Naughten traversait des phases obsessionnelles. Apparemment, il est habituel chez les harceleurs de transférer leur obsession sur autrui. Le juge l'a condamné à une peine avec sursis et mise à l'épreuve. À la première infraction, il irait en prison.

– Je n'arrive pas à croire qu'il ait pu associer l'accident de sa mère au fait qu'un gosse envoyait, de chez lui, un texto à une amie, dit Laurie. Si son imagination est capable d'un tel bond, je me demande quels étaient ses sentiments à l'égard du médecin qui avait prescrit à sa mère les pilules qui ont provoqué son overdose.

– Nous devrions aller lui parler, vous ne croyez pas ? »

D'habitude, ce « nous devrions » faisait grincer des dents Laurie, mais il méritait amplement de participer à l'enquête cette fois-ci. « Voulez-vous vous en occuper ? proposa-t-elle.

– Tout de suite, répondit Ryan avec enthousiasme. Mais j'ai encore une chose à vous dire. Quatre ans avant le meurtre de Martin, George Naughten était détenteur d'un pistolet Smith & Wesson 9 mm dûment enregistré, le même type d'arme que celle qui a tué le Dr Bell.

– Bon sang ! Il faudrait lui demander de mettre ce pistolet à notre disposition et le faire analyser par la police. »

Ryan se leva de son fauteuil. « Aucune chance. Le bureau du procureur lui a demandé de remettre son arme aux autorités dans le cadre de sa condamnation, mais son avocat a prétendu qu'elle avait été volée au cours d'un cambriolage deux mois plus tôt. Tous deux ont présenté un rapport de police selon lequel les voleurs s'en étaient emparés en même temps que des bijoux appartenant à sa mère. Ce qui est évidemment très douteux. On peut imaginer que George a tout inventé pour pouvoir se servir éventuellement du pistolet plus tard. »

Laurie remercia Ryan pour l'efficacité de son travail et il sortit de son bureau. Une fois seule, elle lut avec soin le rapport de police et les minutes du procès, prêtant une attention particulière aux passages soulignés par Ryan.

La police s'était-elle à ce point concentrée sur Kendra qu'elle avait totalement ignoré Naughten ?

Elle revint au personnage mystérieux que Kendra avait rencontré aux Petits Truands dans les jours qui avaient précédé l'assassinat de son mari. Elle feuilleta les documents qu'avait apportés Ryan et y chercha en vain une photo anthropométrique. Était-il possible que Kendra se soit entendue avec un homme qui avait ses propres griefs à l'encontre de son mari ?

Que George Naughten soit un meurtrier, l'homme du bar, ou seulement un voyou désaxé, elle était sûre d'une chose : c'était un nouveau nom à ajouter à sa liste de suspects.

Elle se leva, traversa la pièce jusqu'au tableau blanc à l'autre extrémité du bureau, et saisit un marqueur rouge. Quand elle eut terminé, la surface du tableau était saturée d'inscriptions décrivant les liens potentiels entre les individus concernés. Kendra. L'inconnu rencontré dans le bar louche. Son patron dermatologue toujours amoureux. Le fils furieux d'une patiente décédée. Même le sénateur de New York, qu'elle devait interviewer le mardi après-midi.

Son portable émit une alerte. Un texto de Ryan.

George accepte de nous rencontrer.
Je suis au téléphone avec lui
en ce moment. Est-ce que dix heures
demain matin vous conviendrait ?

Sa journée serait très chargée, mais elle se débrouillerait. Elle répondit par l'affirmative et ajouta le rendez-vous à son agenda.

Je ne suis pas au bout de mes peines, se dit-elle, revenant à son tableau. *Mais le tueur est bien là, sur ce tableau. Je le sens. Et qui que tu sois, je te démasquerai.*

31

L E LENDEMAIN MATIN, Laurie et Ryan se garèrent dans la rue voisine de celle de George Naughten à Rosedale, dans le Queens. Il habitait une maison de pierres brunes dans une voie où s'alignaient d'autres maisons identiques. Au moment où ils traversaient, un avion passa en vrombissant à basse altitude au-dessus d'eux, en direction de la piste d'atterrissage de l'aéroport JFK. Ryan ouvrit le portillon de fer rouillé et laissa passer Laurie. Ensemble, ils se tinrent sous l'auvent de toile décolorée et frappèrent à une porte de bois qui avait besoin d'une couche de peinture.

Naughten ouvrit deux verrous et détacha une chaîne avant d'entrebâiller la porte pour distinguer ses visiteurs. « Vous êtes les détectives de la télé ? » demanda-t-il en clignant des yeux, d'une voix plus aiguë que Laurie ne l'avait imaginé.

« Laurie Moran », dit-elle en lui tendant la main. « Merci d'avoir accepté de nous recevoir. »

Naughten ouvrit la porte. « Entrez, entrez. » Dès qu'ils eurent franchi le seuil, il les conduisit dans un living-room plongé dans l'obscurité. Le plafond était bas et les épais rideaux style Marie-Antoinette étaient tirés. La lumière mauve de la lampe à ultraviolets d'un terrarium donnait à la pièce une atmosphère de bordel. À l'intérieur du réservoir de verre, un pogona jouait avec un criquet dont les jours semblaient comptés. Au-dessus, le mur était tapissé de photos encadrées. Chacune représentait George à des âges différents en compagnie de sa mère.

« Je vous en prie, mettez-vous à l'aise », dit Naughten en s'asseyant dans un fauteuil inclinable fatigué au centre de la pièce qu'il écarta du poste de télévision cubique posé à même le sol. Il leur indiqua deux rocking-chairs en osier dans un coin. L'argent qu'il avait pu recevoir à la suite du procès intenté à Martin Bell avait probablement servi pour régler des factures et faire face aux dépenses courantes, et non à rénover son intérieur.

Une fois assise, Laurie étudia George Naughten. Il portait un pantalon de survêtement rouge cramoisi beaucoup trop petit et un T-shirt marron trop grand de plusieurs tailles. Il faisait plus que ses quarante et un ans, avec son front dégarni déjà marqué de profondes rides.

Elle se souvint de la description faite par la barmaid des Petits Truands. Un dur, le crâne rasé, le regard mauvais. Rien à voir avec l'homme à l'air triste assis en face d'elle.

« Nous vous remercions de nous avoir invités chez vous, monsieur Naughten, dit Ryan.

– Je vous en prie, appelez-moi George. Ma maman m'appelait Georgie. Mon père est parti quand j'étais bébé. Elle disait que nous étions tous les deux seuls pour affronter le monde. Je sais que cette maison n'est pas grand-chose, mais elle suffit à mes besoins. Il y a un centre commercial Green Acres juste à côté. Et le Walmart. Et Kohl's. Et j'aime bien me réveiller ici le matin en sachant que maman y a été heureuse autrefois. »

D'après les informations que Laurie avait réunies, George avait vécu avec sa mère depuis sa naissance jusqu'au jour de la mort de celle-ci. Elle éprouva soudain de la compassion pour cet homme, mais ce sentiment ne devait pas perturber l'enquête. Elle se reprit. « George, nous aimerions en savoir davantage sur ce qui s'est passé entre Connor Bigsby et vous.

– Oh, tout ça n'a été qu'un malentendu, dit-il en secouant la tête. Je n'aurais jamais fait de mal à ce gosse. Je voulais juste qu'il sache à quel point il est dangereux d'envoyer des textos.

– Mais il n'était même pas au volant de la voiture qui a heurté celle de votre mère, dit Ryan.

– Pourtant il savait. La police a lu les textos. La fille qui conduisait lui avait dit qu'elle était bloquée dans la circulation. Il le savait, mais il l'a quand même distraite. »

Ryan fronça les sourcils mais n'insista pas. Ils n'étaient pas là pour analyser la logique de George Naughten.

« Et le Dr Bell ? Quelles relations aviez-vous avec lui ? Nous savons que vous aviez déposé plainte contre lui quand il a été assassiné.

– Je ne peux pas en parler. Désolé. J'ai signé un accord de confidentialité concernant ces poursuites. »

Ryan se pencha en avant dans son fauteuil, adoptant l'attitude agressive d'un procureur. « Cet accord concerne l'action que vous avez intentée pour homicide involontaire. Il ne couvre pas vos contacts personnels avec le Dr Bell. »

George gratta la moquette élimée de ses orteils et Laurie crut voir un éclair de crainte traverser ses yeux marron.

« Votre psy a déclaré que vous aviez des tendances obsessionnelles, dit Ryan. Si vous avez été capable de vous attaquer à un gosse à peine impliqué dans l'accident de votre mère, je suppose que vous n'avez pas hésité à vous en prendre au médecin que vous estimez responsable de sa mort.

– Je jure que je n'ai eu de contact direct avec le Dr Bell que cette seule fois. Et il n'a même pas déclaré l'incident à la police. Le flic m'a dit de me tenir à carreau, et après les problèmes que j'avais eus avec ce jeune, c'est ce que j'ai fait. Je n'ai plus jamais remis les pieds dans son cabinet. »

Laurie et Ryan échangèrent un coup d'œil. Apparemment, il y avait eu une sorte d'algarade avec la police au cabinet du Dr Bell, et George croyait qu'ils étaient déjà au courant.

Ils accueillirent cette nouvelle information sans sourciller. « Pourquoi aurait-il appelé la police, George, si ce n'est parce qu'il avait peur de vous ? demanda Ryan.

– Je n'avais pas l'intention de l'effrayer, pas plus que je n'ai eu l'intention d'effrayer ce gosse. Je n'ai pas l'air de quelqu'un de bien menaçant, n'est-ce pas ? » dit-il. Il haussa les épaules et baissa les yeux sur son corps avachi. « Je voulais seulement qu'il se rende compte du mal qu'il faisait, comme ce gosse avec ses textos. Je voulais que Martin Bell sache qu'il ne guérissait pas les malades. Il n'était pas un docteur Miracle. Ses médicaments ont causé la mort de ma mère. Je l'ai appelé cent fois, mais il ne décrochait jamais, ne rappelait jamais. Alors je me suis déplacé. Que pouvais-je faire d'autre ? »

George fixait le gros lézard dans son vivarium. « J'ai dit à la dame de l'accueil que je ne partirais pas tant qu'il ne viendrait pas me parler, d'homme à homme. Je ne l'aurais jamais agressé, c'est ce que j'ai dit à la police quand elle est arrivée. Ils m'ont dit que le Dr Bell me poursuivrait pour violation de propriété privée si je revenais, alors je n'y suis jamais retourné. »

Ryan essaya une autre approche. « Et votre pistolet, George ? Un Smith & Wesson 9 mm enregistré à votre nom. Le modèle utilisé pour tuer le Dr Bell devant chez lui.

– Je l'ai acheté il y a des années pour assurer la sécurité de maman. Il y avait eu des cambriolages dans le voisinage et je voulais savoir m'en servir. Je me suis amusé à tirer et, au début, j'allais m'entraîner dans un stand. Mais après l'accident de maman, je l'ai quasiment oublié. Je n'avais plus le temps de m'exercer de toute façon, je devais m'occuper d'elle du matin au soir. Et le plus drôle, c'est qu'il a fini par être volé. Ça m'a appris à vouloir jouer au dur. Ce n'était pas mon genre.

– Et vous n'en avez pas acheté un autre ? demanda Laurie. Le cambriolage ne vous a pas incité à vous protéger ?

– Non. Il m'en avait fallu un pour protéger maman, mais il n'y a plus rien de valeur dans la maison aujourd'hui. »

Laurie lui demanda le nom du stand de tir auquel il se rendait et le nota dans son carnet. « Et après le meurtre du Dr Bell ? La police vous a-t-elle interrogé ? »

George secoua la tête. « Je pensais qu'ils le feraient, mais cette algarade à son bureau avait eu lieu plus d'un mois avant son assassinat, et il n'y avait pas eu de plainte à la police, alors… »

Il ne termina pas sa phrase, mais Laurie comprit qu'il était passé à travers les mailles du filet. Le policier qui avait enregistré une plainte à propos de cet homme n'avait sans doute jamais fait de rapprochement avec le meurtre du Dr Bell plus d'un mois après. Et Laurie était persuadée que la police n'avait pas enquêté sur les démêlés précédents de George avec la force publique, ni sur cette histoire de pistolet volé. Trop occupée à enquêter sur Kendra.

« Et le soir du meurtre du Dr Bell, reprit Ryan, où étiez-vous ?

— Ici », dit George, décrivant d'un geste l'espace autour de lui. « Seul. »

Tous trois restèrent silencieux pendant un moment. Un avion passa à nouveau au-dessus d'eux, faisant vibrer les fenêtres. « Êtes-vous prêt à passer à la télévision pour être lavé de tout soupçon ? » demanda Ryan.

Le visage de George se crispa. « J'aimerais en parler d'abord à mon psy.

— Alors dites-lui bien que cette nouvelle enquête aura lieu de toute façon », dit Ryan.

Il se tourna vers Laurie pour voir si elle avait d'autres questions à poser, mais elle remercia George et se leva.

Comme ils sortaient dans la rue sous un soleil éclatant et regagnaient leur voiture, Laurie se tourna vers Ryan. « Votre impression ?

— Je ne lui présenterais pas ma sœur, mais je le vois mal en assassin. »

Elle hocha la tête. Si seulement ces réactions instinctives suffisaient à éliminer un suspect de la liste ! Mais elle en doutait. George Naughten était de toute évidence

191

obsédé par l'idée que Martin Bell était responsable de la mort de sa mère.

« Merci pour votre aide, dit-elle. Vous avez été formidable.

– Merci, Laurie. Venant de vous, j'apprécie le compliment. Je sais que je l'ai joué souvent perso.

– Ne vous vexez pas, mais qu'est-ce qui a changé ? »

Ryan hésita, et Laurie vit son front se plisser. « Je me suis fait plaquer.

– Oh, je suis désolée… »

Il secoua la tête. « Cela n'a jamais été sérieux entre nous, mais qu'est-ce qu'elle m'a passé en me quittant. Elle m'a traité d'égoïste qui se croit tout permis. Dit que je n'étais qu'un petit joueur qui n'avait jamais eu à faire d'efforts et que je me prenais pour un champion. » Il haussa les épaules d'un air triste, puis ouvrit la porte arrière de la voiture, devançant le chauffeur.

Une fois assis à côté d'elle, il ajouta : « Quoi qu'il en soit, j'ai dû admettre qu'elle avait probablement raison. Donc, considérez que j'ai reçu une leçon d'humilité. »

Laurie ne sut pas trop quoi répondre à cet aveu de vulnérabilité tout à fait inhabituel de la part de Ryan, alors elle opta pour l'humour.

« D'humilité peut-être, mais pas de véritable modestie.

– Jamais, fit-il avec un large sourire. Un Ryan Nichols ne se sous-estime jamais. »

32

L AURIE ET JERRY, son assistant, arrivèrent chez les Longfellow dans l'Upper West Side sur West End Avenue à trois heures trente précises, comme convenu.

« Ces plafonds ! s'émerveilla Jerry comme la porte de l'ascenseur s'ouvrait au dix-huitième étage. Au moins quatre mètres de haut. Et j'adore les frises murales. Tellement Art déco.

– Tu pourrais peut-être t'occuper de me trouver un appartement », le taquina Laurie.

Elle avait décidé de l'emmener, au cas où elle apprendrait quelque chose d'important de la bouche des Longfellow. Il lui faudrait un témoin pour corroborer sa version des événements. Elle s'entendait bien avec Ryan ces derniers temps, mais il lui avait paru hasardeux de réunir un invité de l'émission et un ancien procureur. Après tout, Alex avait demandé au sénateur une faveur personnelle en arrangeant ce rendez-vous.

Contrairement à Ryan, Jerry ne pouvait que lui être sympathique.

Le carillon de l'entrée des Longfellow fut immédiatement suivi par un crescendo d'aboiements aigus. « Ike ! Lincoln ! » Une femme derrière la porte tentait de faire taire les chiens. Les aboiements diminuèrent et finirent par se transformer en gémissements que Laurie associa à une promesse de friandise. « Combien de fois dois-je vous rappeler d'être gentils quand on a de la visite. »

Lorsque la porte s'ouvrit, deux petits chiens les accueillirent, tournant autour d'eux et reniflant leurs chaussures. La femme qui les suivait leur tendit la main. « Bonjour, je suis Leigh Ann Longfellow. » Elle portait une robe classique bleu marine et des escarpins. Ses cheveux châtain foncé coupés au carré effleuraient ses épaules, dans le même style que Laurie. Elle avait un teint d'albâtre étonnamment lisse. « Excusez ces deux chenapans. On ne devinerait pas qu'ils ont été bien dressés. Malheureusement, ils semblent décidés à n'en faire qu'à leur tête. Je pense qu'ils sont excités d'avoir papa et maman à la maison si tôt dans l'après-midi.

– Je vous en prie, dit Laurie, désireuse d'entamer la conversation sur un ton léger. J'aime beaucoup les chiens. Ce sont des loulous de Poméranie ?

– Pas tout à fait. Des épagneuls papillons. Ils ont huit ans mais se comportent encore comme des chiots quand ils voient quelqu'un de nouveau. »

Jerry était déjà accroupi, laissant les chiens grimper sur lui et lui lécher le visage. Il leva la tête avec un large sourire. « Bonjour, je suis Jerry, dit-il avec un salut. L'assistant de Laurie à la production. »

Officiellement, il était producteur adjoint, mais Laurie comprit qu'il voulait garder une attitude amicale et décontractée.

Leigh Ann les conduisit dans un salon spacieux garni de meubles modernes dans un camaïeu de tons clairs. La seule touche de désordre était un large coussin pour chiens près de la cheminée entouré d'une quantité de peluches. À en juger par le mouton décapité entouré de lambeaux de bourre de coton, Ike et Lincoln avaient récemment mené une lutte féroce.

Ils étaient à peine assis que le sénateur Longfellow entra dans la pièce, aussi impressionnant que lors de ses apparitions publiques, campagnes ou conférences de presse.

Laurie connaissait les circonstances qui avaient catapulté Daniel Longfellow sur la liste de « la génération des jeunes politiques en vue ». Fils unique d'un portier et d'une femme de ménage, il avait intégré West Point et été décoré de l'Étoile de bronze pour ses états de service en Afghanistan après le 11-Septembre. La vidéo de sa campagne mettait l'accent sur sa biographie. Il disait qu'il était revenu à New York après l'armée, décidé à aider sa ville à devenir sûre et prospère pour tous.

Il était grand, probablement un mètre quatre-vingt-dix, avec des cheveux blond foncé et des yeux d'un bleu étincelant. Quand il s'approcha de Leigh Ann et passa un bras autour de ses épaules, le geste sembla parfaitement naturel.

« Je vois que vous avez déjà fait connaissance avec les enfants, dit-il à Laurie et Jerry en désignant les deux chiens haletant à ses pieds.

— Ils s'en sont assurés eux-mêmes, sénateur, dit Laurie en se présentant.

— Ike et Lincoln. Je les appelle les présidents Papillon. Et je vous en prie, appelez-moi Dan. Désolé, mais le leader de la majorité a retardé une conférence téléphonique. Ne le dites à personne, mais j'ai mis le téléphone en mode silencieux pour pouvoir sortir et venir vous saluer. Vous devriez vous entretenir avec Leigh Ann pour commencer. Je ne serai pas loin.

— Excellente idée », acquiesça Laurie en le regardant embrasser rapidement sa femme sur les lèvres avant de quitter la pièce. Elle détourna les yeux pour ne pas sembler indiscrète, mais il était visible que le courant passait entre eux deux. Elle se souvint de ce que Cynthia Bell avait dit à leur sujet. Que chacun des deux pensait que le soleil se levait et se couchait avec l'autre, ou quelque chose d'approchant.

Laurie n'avait pas encore posé une seule question, mais elle était certaine d'une chose : ce couple s'aimait.

33

L EIGH ANN fit signe à Laurie et à Jerry de s'asseoir et s'installa ensuite en face d'eux sur un canapé gris clair. Elle ne broncha pas en voyant les deux Papillon sauter et se coucher de chaque côté d'elle.

« Je devrais commencer par vous féliciter, Laurie. Dan m'a dit qu'en plus de votre brillante carrière, vous étiez fiancée à notre tout nouveau juge fédéral. C'est merveilleux. Un couple influent. »

Laurie fut prise de court. Il y avait longtemps qu'elle ne s'était pas considérée comme la seconde moitié d'un couple, encore moins d'un couple influent. « Merci, dit-elle. Il nous reste encore tant à faire.

– Bon, je me mêle de ce qui ne me regarde pas, mais mon conseil est : profitez-en. Ce qui compte, c'est vous deux et pas tous ces projets de réception. Mes parents nous ont persuadés d'organiser un mariage avec tout le tralala au Boat House de Central Park. On a dû demander à mon cousin de ne pas quitter Dan de la soirée pour lui rappeler qui était qui. »

Laurie sourit en son for intérieur. Elle et Alex n'avaient encore dit à personne qu'ils prévoyaient de se marier à la fin de l'été, précisément parce qu'ils voulaient en savourer le secret et ne pas inviter trop de monde.

« Bon, dit Leigh Ann, vous n'êtes pas ici pour parler mariage. Dan m'a dit que vous avez rouvert l'enquête sur l'affaire Martin Bell. » Sa voix se fit plus grave : « Je n'arrive toujours pas à croire que quelqu'un ait voulu s'en prendre à lui.

– Comment avez-vous appris sa mort ? demanda Laurie.

– Ma mère m'a téléphoné le soir même. La police s'était rendue dans l'appartement des Bell pour leur communiquer la nouvelle. Or mes parents étaient venus prendre un cocktail à leur domicile avant d'aller dîner en ville avec eux. Vous pouvez imaginer leur réaction quand ils ont appris la tragédie.

– Cynthia m'a dit que vous connaissiez Martin depuis longtemps. »

Leigh Ann hocha la tête tristement. « Depuis presque toujours. Nous n'étions pas exactement ce qu'on appelle des amis d'enfance car il avait six ans de plus que moi. Mais nos parents étaient proches, nous mangions tous à la table des enfants, et les plus âgés jouaient souvent à cache-cache avec les plus petits. Ce genre de choses. Plus tard, quand j'ai fait partie du bureau des anciens élèves de Hayden, il s'est trouvé qu'il y était aussi.

– Vous connaissiez Kendra ?

– Pas du tout. Dan et moi avions été invités au mariage, mais cela tombait au moment d'une réunion électorale que Dan avait déjà prévue.

– Il était déjà membre de l'Assemblée alors ? » demanda Laurie.

Leigh Ann regarda le plafond et compta sur ses doigts. « Voyons, il se présentait pour son second mandat, c'était donc il y a... un peu plus de dix ans ? Papa et maman y ont assisté, et ils ont dit que Kendra paraissait charmante mais qu'ils n'avaient pas passé beaucoup de temps avec elle. Par la suite, maman a parfois mentionné que Cynthia regrettait ce mariage, que Martin avait fait une terrible erreur, mais je vous l'ai dit, je ne la connaissais pas et je n'ai repris contact avec Martin qu'à travers le bureau des anciens élèves.

– Excusez-moi de me montrer directe, mais vous savez certainement pourquoi nous désirions vous parler. Kendra était convaincue qu'il y avait davantage qu'une relation amicale entre Martin et vous. »

Leigh Ann rit et secoua la tête. « Pardonnez-moi. Je suis navrée pour elle, mais c'est tellement absurde. Nous nous rencontrions une fois par mois tout au plus, dans une salle de réunion avec vingt-deux autres anciens élèves. Ensuite, nous avons fini par être coprésidents du comité des donations, ce qui représente une masse de travail énorme, entre organiser l'événement, battre le rappel des participants et recueillir les dons. Ces temps-ci, je n'ai pas eu le temps de m'en occuper, mais à l'époque Dan était très souvent à Albany... » Elle fit une grimace, signifiant clairement qu'elle éprouvait peu d'attrait pour la capitale de l'État. « ... Et je voulais continuer à avoir une occupation. Alors, quand le président du bureau n'a pu poursuivre cette année-là, je me suis dit : Et puis zut. Je le ferai si j'ai quelqu'un pour m'aider. Martin était pratiquement une célébrité alors, et nous nous connaissions depuis l'enfance. Je ne l'ai pas lâché tant qu'il n'a pas accepté de m'épauler. La seule explication, c'est que Kendra a vu le nombre de conversations téléphoniques que nous échangions et en a tiré de fausses conclusions. Mais croyez-moi : la chose la plus sexy dont Martin Bell et moi ayons jamais discuté était l'endroit où placer la sculpture de glace.

— Pourtant la police vous a interrogée à la mort de Martin ?

— Oui. J'étais sidérée. Ma mère m'a avoué plus tard que les parents de Martin l'avaient prévenue que Kendra s'était mis cette idée en tête. Mais personne ne l'a jamais mentionné devant moi du vivant de Martin. Au début, la police s'est contentée de me dire que mon numéro figurait fréquemment dans les enregistrements des appels de Martin, alors j'ai expliqué que nous travaillions ensemble au comité. Mais ensuite, ils ont lâché le morceau : ils voulaient savoir où était Dan la nuit du meurtre.

– Et ? demanda Laurie

– Il était à Washington. Avec moi, en réalité. Le siège du Sénat était depuis peu vacant, et nous savions que Dan était sur le point d'être nommé par le gouverneur. Il était donc descendu à Washington pour rencontrer plusieurs leaders du parti dans la capitale. Je n'allais pas lui tenir la main pendant les débats, bien sûr, mais j'ai voulu l'accompagner pour le soutenir moralement. Et, oui, pour être franche, je préférais de beaucoup Washington à Albany. Nous y avons passé la nuit car il devait voir le chef de la majorité du Sénat le lendemain matin. Nous venions de rentrer quand ma mère m'a appris au téléphone la terrible nouvelle de la mort de Martin. »

Si Leigh Ann disait la vérité, la police n'avait sans doute eu aucun mal à vérifier l'alibi de Daniel. À nouveau, Laurie regretta qu'elle n'ait pas partagé ses informations avec elle.

« À propos de Kendra, dit-elle, je crois que si elle soupçonnait Martin d'avoir une liaison, c'était en grande partie parce que leur mariage battait de l'aile. Ils vivaient encore ensemble, mais comme des étrangers sous le même toit. Cela me gêne d'avoir à vous poser une question aussi personnelle, mais comment vous entendiez-vous avec votre mari à cette époque ? »

Leigh Ann sourit mais Laurie se rendait compte que sa patience était mise à rude épreuve. « Vous avez raison. C'est

201

très intime. Que puis-je dire ? Dan et moi sommes un de ces couples heureux qui se sont rencontrés très tôt et ont décidé de construire leur vie ensemble. Je finissais mon droit à Columbia et il terminait un master en affaires internationales après avoir quitté l'armée avec le grade d'officier junior. J'ai fait tomber mon livre de droit international dans la queue d'un Starbucks en me débattant pour sortir mon portefeuille de mon sac à dos. Il l'a ramassé et nous avons commencé à discuter de politique étrangère et à refaire le monde. Le coup de foudre. Nous avons dû rester dans ce café pendant trois heures. En regagnant mon studio ce soir-là, j'ai dit à ma colocataire que je venais de rencontrer l'homme de ma vie. Quand il m'a fait sa demande, il m'a présenté la bague de fiançailles enveloppée dans le mug en carton qu'il avait conservé depuis le premier jour. Il m'a dit que lui aussi, il avait su dès le premier instant que nous étions faits l'un pour l'autre. »

Un vrai conte de fées, pensa Laurie – *comme il se doit.*

« Avec la nomination imminente de votre mari au Sénat, vous avez dû être consternés de voir vos noms apparaître dans les pages des médias relatant le meurtre de Martin. L'histoire a fait la une des infos pendant deux semaines.

– Franchement, il ne m'est jamais venu à l'esprit de m'inquiéter pour nous deux. J'étais seulement bouleversée par l'assassinat de quelqu'un que je connaissais. Et navrée que Kendra, en plus d'avoir perdu son mari et de se retrouver seule avec deux enfants en bas âge, nourrisse

202

des soupçons sur mes relations avec Martin. Mais à l'évidence, c'était un pur effet de son imagination. En outre, le jour où Martin a été tué, le gouverneur avait déjà annoncé à Dan que le siège était pour lui. Son voyage à Washington était une formalité – pour présenter ses respects et accomplir les mondanités habituelles. D'ailleurs, si je me souviens bien, le gouverneur avait déjà fait l'annonce lorsque l'interrogatoire de police a commencé. »

En préparation de cet entretien, Laurie avait cherché sur Google des renseignements sur les Longfellow. Le sénateur sortant avait accepté un poste dans un cabinet ministériel six jours avant que Martin Bell soit assassiné, et le gouverneur avait engagé Longfellow – quarante ans, membre de l'assemblée de l'État réélu quatre fois, un héros de surcroît – au poste vacant deux semaines après que le sénateur eut annoncé sa décision. Si les souvenirs de Leigh Ann étaient exacts, la police avait attendu au moins cinq jours avant de les interroger. Laurie avait été élevée par un policier. Elle savait exactement ce que signifiait ce genre de délai : les Longfellow n'étaient pas une priorité dans leur enquête. Preuve supplémentaire que les accusations de Kendra ne leur avaient pas paru crédibles.

« Martin vous a-t-il jamais parlé des difficultés de son mariage ?

– Pas vraiment. »

Laurie le relança par un sourire. « Pas vraiment ne signifie pas non.

– Écoutez, je préfère vous parler franchement... Je manque d'objectivité. Ma mère m'a dit que Cynthia et Robert soupçonnent Kendra d'être responsable de la mort de Martin mais, personnellement, je n'en sais rien.

– Martin vous parlait de Kendra ? »

Leigh Ann hocha la tête. « Il ne racontait rien d'intime. Nous n'étions pas assez proches. Mais au moment où nous devions visiter des endroits où organiser la levée de fonds, il n'était jamais libre aux dates que je proposais à cause de rendez-vous avec un avocat. Je n'ai fait aucun commentaire et j'ai proposé d'autres dates, mais ça n'allait jamais. Il a eu un rire sarcastique... » Elle l'imita : « "Dis donc, Dan et toi vous ne connaîtriez pas un bon avocat spécialisé en divorces ? Apparemment, il me faudrait un requin pour espérer obtenir la garde de mes enfants." C'était vraiment très gênant. Je lui ai dit que j'étais désolée pour lui et j'ai continué à chercher d'autres dates. »

Une preuve supplémentaire – s'il en fallait une – que Martin était décidé à divorcer de Kendra à la condition d'obtenir la garde de Bobby et Mindy.

Laurie n'avait aucune autre question à poser à Leigh Ann, et le sénateur n'était pas encore revenu de sa téléconférence. « Donc, la levée de fonds a continué sans Martin ? » demanda-t-elle pour poursuivre la conversation.

Leigh Ann sourit, apparemment plus détendue. « Nous avons lancé les invitations en son honneur. Sa promotion a obtenu pour la première fois un taux de donation de cent pour cent. Robert et Cynthia étaient présents, et avaient amené Bobby et Mindy. J'ai cru que nous allions tous éclater en sanglots. Ces pauvres petits. Quel espoir avaient-ils d'avoir une enfance normale après avoir perdu leur père dans des conditions aussi affreuses ? »

Plein d'espoirs, aurait voulu répondre Laurie. *Peut-être seront-ils forts et courageux et pleins d'amour et de vie comme mon merveilleux Timmy.*

Leigh Ann se leva en entendant son mari entrer dans la pièce, et Ike et Lincoln sautèrent aussitôt du canapé pour accueillir le nouvel arrivant.

« Oh là là, fit Jerry. Ils ont beau avoir des noms de présidents, ils font la fête au sénateur à son retour à New York !

– Ils aiment beaucoup leur papa, hein ? » roucoula Leigh Ann tandis que Dan se penchait pour gratter les chiens derrière les oreilles.

« Pardonnez-nous, dit-il. Vous avez certainement remarqué que nous sommes gagas de ces petits fripons. Si la température ne s'était pas réchauffée ces derniers jours, vous auriez eu le plaisir de les voir dans leurs petits sweaters à col roulé. Bientôt, ils auront des petites bottes Gucci et des lunettes de soleil de designer.

– Tais-toi, le taquina Leigh Ann. Ils adorent leurs petits vêtements, hein mes chéris ? Et ils savent comme cela fait plaisir à leur maman. »

Daniel et sa femme avaient été les chouchous des médias lorsqu'il avait été nommé sénateur. Enfant chéri de l'assemblée de l'État de New York, il devenait une gloire nationale après sa nomination au Sénat des États-Unis. Les journalistes politiques l'encensaient, louaient son passé, ses positions politiques modérées, et son mariage de rêve avec une brillante avocate d'affaires. S'il y avait eu un seul raté durant le déroulement de sa présentation au grand public, c'était Leigh Ann qui en avait fait les frais.

Un des coprésentateurs du débat télévisé, Dawn Harper, avait demandé à Leigh Ann s'ils envisageaient d'avoir des enfants. L'autre présentateur lui avait reproché de s'immiscer dans leur vie privée et Dawn avait répliqué : « Je me contente de poser la question. Dan a quarante ans, elle en a trente-six. Qu'en est-il, Leigh Ann ? Est-ce que l'horloge biologique se rappelle à vous ? »

Certaines personnes dans le public s'étaient offusquées de cette question indiscrète, mais c'était la réaction de Leigh Ann qui avait soulevé une véritable tempête. « Sauf votre respect, je suis sortie major de ma promotion de la fac de droit de Columbia, je suis appelée à entrer comme associée dans l'un des plus grands cabinets juridiques du pays, et je suis l'égale de mon mari dans tous les domaines. Je n'ai pas besoin d'enfants pour me sentir une femme épanouie. »

Pour les uns, Leigh Ann n'avait fait que réfuter le postulat émis par Dawn selon lequel toutes les femmes avaient envie d'avoir un enfant à partir de trente-cinq ans, mais beaucoup l'interprétèrent comme une attaque contre les femmes au foyer. Après une avalanche de commentaires assassins pendant vingt-quatre heures, Daniel et Leigh Ann avaient dû préciser dans une interview commune qu'ils admiraient et respectaient le travail de tous les parents – pères et mères, dans leur foyer ou à l'extérieur –, mais qu'eux-mêmes avaient pris la décision de ne pas avoir d'enfants. À l'époque, Laurie avait été impressionnée par leur franchise sur ce sujet particulièrement épineux. Les photos qu'ils avaient montrées de leurs « enfants gâtés », Ike et Lincoln, avaient adouci l'image de Leigh Ann.

Aujourd'hui, Laurie comprenait qu'ils ne plaisantaient pas quand ils disaient traiter leurs animaux de compagnie comme leurs enfants.

« Est-ce à mon tour de passer sur le gril ? » demanda le sénateur Longfellow en se frottant les mains.

Leigh Ann se leva et lui donna un baiser sur les lèvres avant de lui céder sa place. « Assure-toi qu'ils respectent ton droit à conserver le silence, dit-elle en s'éloignant du salon. Tu as un avocat dans la pièce d'à côté si jamais il te prend l'envie d'avouer tes crimes, monsieur le sénateur. »

34

LAURIE commença par remercier Daniel d'avoir accepté cet entretien.

« C'est avec plaisir. J'ai éprouvé beaucoup d'admiration pour votre fiancé durant le processus de son habilitation. Il s'est montré respectueux et imperturbable, même lorsque quelques-uns de mes collègues du Sénat plus sectaires lui ont reproché sa défense d'un escroc dont je tairai le nom. »

Laurie se demanda si l'allusion à peine voilée à Carl Newman était destinée à rappeler que Longfellow lui-même avait joué un rôle déterminant dans la nomination d'Alex au tribunal fédéral. Elle était décidée à ne pas se laisser intimider.

« J'ai appris que la police vous avait interrogé lors de la première enquête », dit-elle.

Trêve de badinages. Le sénateur adopta aussitôt une attitude plus sévère. Laurie l'imaginait bien en chef militaire. « C'était surréaliste, dit-il. Je n'ai jamais rencontré

Martin en réalité, mais avec Leigh Ann, je plaisantais en lui disant qu'il me remplaçait en ville quand j'étais à la capitale. Ensuite, nous venions de rentrer de Washington, j'étais sur le point d'être nommé sénateur, et elle a reçu ce coup de téléphone la prévenant qu'il avait été assassiné. Le lendemain tous les médias en parlaient. Je peux vous garantir que dans la presse locale de cette semaine-là, les deux titres principaux étaient le meurtre de Martin et ma nomination au Sénat. C'est alors que j'ai reçu un message me prévenant que la police de New York voulait nous interroger, Leigh Ann et moi. Au début, j'ai pensé qu'il s'agissait d'une demande de subvention ou de quelque chose d'officiel, mais ils ont dit que c'était à propos de Martin.

– À l'époque, avez-vous compris la raison pour laquelle votre nom était apparu dans leur enquête ?

– Naturellement, nous avons supposé que c'était parce que Martin et Leigh Ann travaillaient dans la même association d'anciens élèves. Une vérification de routine de ses enregistrements téléphoniques ou je ne sais quoi. Ils sont venus ici et ont pris Leigh Ann à part, ce qui ne m'a pas semblé anormal. En fait, votre fiancé a exigé la même chose de nous aujourd'hui », dit-il avec un sourire plus poli que chaleureux.

Laurie hocha la tête.

« Ensuite, ils m'ont interrogé à mon tour. Ils m'ont demandé où j'étais le soir du meurtre. J'ai failli éclater de rire, pensant qu'ils se payaient la tête du nouveau sénateur. Mais ils étaient sérieux ! Je leur ai dit qu'ils pouvaient trouver des photographies de moi ce jour-là à Washington dans le *New York Times* et le *Washington Post*. Je leur ai donné le nom de l'hôtel où nous avions séjourné et je leur ai même offert de les mettre en rapport avec le chef de la majorité au Sénat, s'ils voulaient la confirmation que j'y étais encore pour le petit-déjeuner le lendemain matin. Ils ont paru plutôt déçus, à vrai dire. J'ai beaucoup de respect pour la police de New York, mais enfin, ils auraient dû savoir que je n'étais même pas là ce jour-là. La question évacuée, je leur ai demandé pourquoi ils menaient cette enquête stupide. C'est alors qu'ils m'ont dit que Kendra Bell croyait que Martin et Leigh Ann étaient... bon, je n'ai pas besoin de vous faire un dessin, vous êtes sûrement au courant de ces allégations.

– Et quelle a été votre réaction ?

– J'ai été stupéfait. C'était... grotesque. Et ensuite, les médias ont clairement révélé l'identité du suspect numéro un. La culpabilité n'a jamais été établie, bien sûr, mais j'ai toujours pensé que tenter de me mettre en cause était presque un aveu de culpabilité de la part de Kendra. » Sa voix trahissait une certaine colère, mais il se reprit rapidement : « Je voulais être sûr à cent pour cent que la police n'avait plus aucun doute à mon sujet. Je leur ai remis le reçu de l'hôtel, ainsi que celui du parking pour une nuit, plus mes tickets de péage et des articles

210

sur ma visite à Washington. Et j'avais lu dans la presse qu'on accusait Kendra d'avoir retiré de grosses sommes en liquide pour payer un tueur. Afin qu'on ne m'en accuse pas aussi, j'ai de moi-même remis à la police mes relevés bancaires.

— C'est ce qui s'appelle de la transparence.

— Je n'ai rien à cacher, ni aujourd'hui ni alors, dit Dan fermement. Nous avons ce bel appartement grâce à ma brillante épouse, mais j'insiste pour contribuer à parts égales avec mon salaire d'homme politique. Croyez-moi, il ne reste rien pour une caisse noire destinée à un tueur à gages. J'ai pensé qu'après m'avoir éliminé de leur liste, les enquêteurs pourraient consacrer plus de temps à trouver le vrai meurtrier.

— J'imagine qu'aider la police n'était pas votre préoccupation première. En dépit de leur vif intérêt pour cette histoire, il semble qu'aucun média n'ait jamais rapporté que vous avez été interrogés, vous et votre épouse, dans le cadre de l'enquête.

— Est-ce que vous imaginez le cirque que cela aurait provoqué ? Le tout nouveau sénateur des États-Unis compromis dans un homicide ?

— C'est pourquoi vous ne vouliez pas aujourd'hui que notre entrevue se déroule au studio ou dans votre bureau ? »

Il hocha la tête. « Bien sûr. En réalité, j'avoue sans honte que j'ai même passé un coup de fil au bureau du commissaire. Je voulais que la police sache au plus haut niveau que j'étais décidé à coopérer le mieux possible, mais je ne voulais pas être entraîné dans une sorte de folie médiatique. Il m'a assuré que j'avais donné des preuves suffisantes de mon innocence. J'ai eu l'impression qu'ils avaient même interrogé les autres membres du bureau des anciens élèves de la Hayden School, qui avaient confirmé qu'il était tout simplement impossible d'imaginer Martin et Leigh Ann ensemble. Et nous y revoilà à présent », dit-il.

Il sourit tout en soutenant fermement le regard de Laurie

Elle pouvait presque entendre la question qu'il avait en tête, alors elle lui fit la seule réponse qu'elle pouvait lui donner. « Nous ne formulerons pas d'hypothèse sur d'autres suspects, à moins d'avoir une raison objective de le faire.

— Je suis heureux de vous l'entendre dire, Laurie. À propos, j'ai vu tous les épisodes de votre émission, *Suspicion*, et j'admire votre travail. Mais entre nous, je crois cette fois que la personne soupçonnée l'est à juste titre. J'espère que vous pourrez le prouver une fois pour toutes. »

35

ÈS QUE Laurie et Jerry furent installés à l'arrière du break noir qui les attendait dans la rue, Jerry fit mine d'applaudir à deux mains. « Une première pour moi, dit-il. La première fois que je rencontre un sénateur et son épouse. Et ils sont aussi merveilleux qu'on le dit. Tous deux superbes et tellement... vrais. Je suis complètement sous le charme. Nous venons peut-être de rencontrer notre futur Président et la *first lady* !

— Avant de leur ouvrir le chemin de la Maison-Blanche, on pourrait peut-être parler de leurs rapports avec Martin Bell, tu ne crois pas ?

— Excuse-moi, fit Jerry. Tu connais mon attrait pour les célébrités, et ils ont vraiment l'air de stars de cinéma – et élégants en plus ! Mais tu as raison. J'arrête les compliments. Écoute, si on est venus questionner les Longfellow, c'est uniquement parce que Kendra affirme que Martin avait une liaison avec Leigh Ann, d'accord ?

– Exact.

– Et on est d'accord que c'est tout au plus un effet de son imagination ? Pas de factures d'hôtel. On ne les a jamais vus ensemble en dehors des réunions des anciens élèves de la Hayden School ?

– Rien, à part le temps qu'ils y passaient tous les deux et les appels téléphoniques, le tout combiné à la conviction instinctive qu'il la trompait. »

Jerry haussa les épaules. « Bon, leur relation est très claire, et on n'a absolument rien pour étayer les soupçons de Kendra. »

Laurie poursuivit le raisonnement : « Et Kendra n'est pas exactement la personne la plus crédible. Elle clame que Martin la faisait passer pour folle, mais en même temps, elle avoue qu'elle n'était pas au mieux de sa forme.

– Qui plus est, ajouta Jerry, tu crois vraiment que Leigh Ann aurait trompé son mari pour Martin ? »

À son ton, il était manifeste qu'il trouvait Leigh Ann beaucoup trop bien pour feu le pauvre médecin.

« Ils sont aux antipodes l'un de l'autre, dit Laurie. Martin a peut-être cherché à échapper à son mariage mais, d'après l'opinion générale, il était décidé à obtenir la garde de ses enfants. C'était sa priorité. Leigh Ann, de son côté…

– Allez, dis-le, la coupa Jerry. Cette femme déteste visiblement les enfants. »

Laurie sourit. « Disons seulement qu'elle préfère la compagnie des animaux. Je l'imagine mal jouant les belles-mères avec Bobby et Mindy.

— Et ce n'est pas seulement la question des enfants, dit Jerry. N'oublie pas que Martin et ses parents ont poussé Kendra à rester chez elle après la naissance des enfants. Martin voulait une femme au foyer et une mère, pas une potentielle concurrente. Tu as vu ces deux-là : Leigh Ann est clairement le bras droit du sénateur. Tu crois que c'était ce dont Martin avait envie ?

— Non, aussi sûrement que l'huile et l'eau ne se mélangent pas, dit Laurie.

— Exactement. Le seul motif qu'aurait eu Daniel Longfellow de tuer Martin aurait été une liaison entre Martin et sa femme, ce qui semble inimaginable. Sans mentionner qu'il a un alibi en béton. Pas uniquement le témoignage de Leigh Ann sur ce qu'il faisait cette nuit-là. Il avait les factures, les photographes, les témoins – tout le tremblement. »

Jerry avait raison. Laurie devait à Kendra de poursuivre la moindre piste, et elle avait respecté ses engagements au sujet des Longfellow. À présent, elle était prête à rayer le sénateur de sa liste de suspects.

Jerry leva un index, une idée lui venait soudain à l'esprit. « Désolé, chauffeur, nous allons peut-être changer d'idée, dit-il. Laurie, je voudrais inclure en arrière-plan des vues de l'église où Martin et Kendra se sont mariés. C'est pratiquement sur le chemin du bureau. Ça ne t'ennuie pas de faire demi-tour pour que je prenne quelques photos ? »

Laurie consulta sa montre. Il était presque cinq heures. Sachant qu'Alex était en conférence à l'extérieur de la ville, Charlotte l'avait invitée à dîner après le travail. Elle se dit que Jerry n'en aurait pas pour longtemps. « Pourquoi pas ? »

Jerry donna au chauffeur une adresse aux alentours de la 40ᵉ Rue Ouest. Laurie se demanda quelle église avait pu convenir aux Bell dans le quartier des cinémas, mais rien ne lui vint à l'esprit.

« Bientôt, on n'aura pas besoin d'une voiture de service pour ce genre de trajets, dit soudain Jerry. Le vendeur m'a affirmé qu'ils auraient ma BM cette semaine. »

Jerry parlait depuis des semaines de la BMW hybride qu'il avait l'intention d'acheter. Laurie estimait que c'était de la folie d'avoir une voiture en ville, mais Jerry aimait aller à Fire Island en week-end et pendant les vacances d'été. Au lieu d'être serré comme une sardine dans le train de Long Island, il déclarait que cette voiture dite « propre » lui permettrait de circuler confortablement sur la voie rapide. Elle l'imaginait parcourant le Long Island Expressway avec une playlist de ses airs préférés.

Quand la voiture s'arrêta dans la 46ᵉ Rue et qu'ils en descendirent, Jerry demanda au chauffeur de ne pas les attendre. « Jerry, s'étonna Laurie, je croyais que ça ne prendrait que quelques minutes. Je dois être de retour au Rockefeller Center vers six heures. »

Elle avait rendez-vous avec Charlotte à la Brasserie Ruhlmann près du studio.

« Nous prendrons un taxi », dit Jerry.

Laurie s'apprêtait à protester, mais le chauffeur était déjà parti.

« Je ne comprends pas ce que tu fabriques... »

Jerry posa gentiment une main sur son dos et continua à marcher. Il n'y avait aucune église dans les parages.

Ils avaient à peine fait quelques pas qu'il s'immobilisa. Il la regarda et sourit, désignant l'enseigne d'un établissement tout proche.

« Chez Fancy », en lettres de néon roses. « Les danseurs les plus excitants de Broadway ».

Oh non, pensa-t-elle, *je rêve.*

La porte en verre teinté s'ouvrit et Charlotte et Grace apparurent sur le trottoir, enveloppées de boas violets assortis. Elles poussaient des *Hou ! hou !* aigus, l'air de jeunes célibataires en goguette paradant dans une des émissions de téléréalité de Fisher Blake.

« Vous vous fichez de moi ! s'exclama Laurie, exaspérée.

– Allez, dit Charlotte. Alex et toi avez été tellement discrets avec vos fiançailles. On a décidé que tu avais besoin de fêter ça de façon moins conformiste.

– En me pâmant devant des hommes nus ? Même pas en rêve ! »

Laurie comprenait maintenant pourquoi Grace et Jerry prenaient des airs de conspirateurs ces derniers temps, penchés sur leurs écrans. C'étaient eux qui avaient concocté cette sortie stupide avec Charlotte.

« Mais j'ai déjà payé un dénommé Chip pour ta première danse avec lui », dit Grace, avec une moue de déception.

Laurie contempla les trois visages qui la regardaient avec anxiété et comprit qu'elle payait le prix de son sérieux légendaire. Ils étaient décidés à la voir s'amuser bêtement.

Elle s'avançait vers la porte du club, résignée à son sort, quand Charlotte et Grace se précipitèrent vers elle et la serrèrent dans leurs bras. « On t'a bien eue ! dit Charlotte. Bravo », ajouta-t-elle en adressant un geste de victoire à Jerry et Grace.

Jerry eut un sourire penaud. « On voulait juste te faire une blague, chef. Je t'en prie, pardonne-nous. » Il serra ses mains l'une contre l'autre en un geste de prière.

Laurie poussa un soupir de soulagement, heureuse de ne pas avoir à pénétrer dans la salle. « Attendez, ça veut dire qu'on rentre chez nous ? demanda-t-elle.

– Bien sûr que non ! Nous allons boire un verre, dit Charlotte, mais pas ici. »

Jerry et Grace désignèrent un bar de l'autre côté de la rue. Don't Tell Mama. Laurie y était déjà allée avec Grace et Jerry et elle leur avait dit qu'elle trouvait l'endroit sympathique. La salle était sombre, calme, dans le quartier des théâtres, avec un piano-bar. Les acteurs de Broadway venaient parfois y chanter quelque chose, et les clients étaient libres d'en faire autant.

Une table dans un coin près de l'estrade était réservée à leur nom. Un ballon en forme de cœur était accroché au dos de chacune des chaises et un boa violet attendait Laurie à la place d'honneur. Sinon, le décor était parfaitement respectable. Dès que la serveuse eut pris leurs commandes, Jerry et Grace montèrent sur l'estrade et chantèrent à Laurie une interprétation de « Chapel of Love ».

Going to the chapel, and we're... gonna get married.

Laurie ne put s'empêcher de sourire.

Elle ne remarqua pas l'homme qui franchit la porte d'entrée et prit un siège au bar sans cesser de la fixer.

36

L'HOMME donna une chiquenaude à son ticket de parking, lut la somme dont il n'avait pas eu le temps de prendre connaissance quand il avait en toute hâte laissé sa voiture au gardien. Dix dollars pour une demi-heure, vingt-huit dollars pour rester deux à vingt-quatre heures.

Il se demanda s'il y avait des imbéciles prêts à payer trente dollars pour une heure et demie. Probablement. Il savait mieux que quiconque combien les gens pouvaient être bêtes. Il fut un temps où il ne se serait jamais inquiété du prix d'un parking à Manhattan, mais cette époque était révolue, comme tout le reste.

Le barman finit par se diriger vers lui – il s'était installé près de la porte, suffisamment à l'écart pour que Laurie ne puisse pas le remarquer si elle tournait la tête pour accueillir quelqu'un d'autre à sa table.

« Qu'est-ce que je vous sers ? » Le barman était un

hipster à la barbe maigrichonne, vêtu d'une chemise à carreaux et portant des bretelles. Il dépensait probablement son salaire entier pour habiter en coloc un appartement branché dans Williamsburg, mais ressemblait à un musicien d'orchestre minable de musique country. Les gens sont tellement stupides.

Il commanda un Johnnie Walker Black Label. Il devait garder l'esprit clair, lui qui était incapable d'entrer dans un bar sans boire un verre. C'était le reproche récurrent que lui faisait sa femme, quand il avait encore une femme dans sa vie. « Tu deviens méchant quand tu bois », disait-elle.

Le scotch fut suivi d'un autre puis d'un troisième pendant qu'il observait Laurie Moran, si heureuse avec ses amis. Deux d'entre eux – la fille la plus jeune et un grand échalas – lui avaient chanté une chanson qui parlait d'église, de mariage, de rester amoureux jusqu'à la fin des temps et de ne plus jamais être seul. Quel paquet de conneries !

Elle ouvrait ses cadeaux à présent. Les deux premiers étaient sans doute des gags vu le rire qui fusa à leur table quand elle les déballa. Le troisième était gros, maladroitement enveloppé de papier. Un grand fourre-tout en cuir. Il entendit l'amie de Laurie – celle qui avait à peu près son âge – parler de lune de miel.

Ils lui tendirent ensuite une boîte plate en forme de carnet. Bleu coquille d'œuf, nouée d'un ruban blanc en satin. Probablement un truc de chez Tiffany. Du temps où il était heureux avec sa femme, elle aimait contempler une de ces jolies boîtes bleues. « Tu as bien choisi », murmurait-elle, en général avec un baiser.

De son poste d'observation, quand Laurie ouvrit la boîte, il distingua l'éclat d'un cadre en cristal. À son sourire, il devina qu'il contenait une photo de son fiancé.

L'heureux couple. Ils ne méritaient pas de l'être. C'était injuste.

L'amie de Laurie la serra dans ses bras et demanda l'addition, ensuite Laurie commença à rassembler tous ses cadeaux ainsi que sa serviette dans son nouveau sac. Pratique. Commode. Un sac où on peut tout mettre.

On la regretterait. C'était sûr.

37

À ENVIRON deux kilomètres de là, dans le cabinet du Dr Stephen Carter sur la Cinquième Avenue à la hauteur du Flatiron, Kendra prenait le sac de glace enveloppé de tissu de Mme Meadows et le déposait sur un plateau métallique. Le coton bleu clair était parsemé de minuscules taches de sang que Stephen inspectait avec soin après ses injections de Botox.

« C'est parfait, déclara-t-il, satisfait de son travail. Vous aurez ces petits boutons semblables à des piqûres d'insecte pendant deux jours, et ensuite vous serez une nouvelle femme. N'oubliez pas de rester la tête droite pendant les prochaines quatre heures, de préférence six. Aucune pression sur les endroits traités, pas de casquette de baseball, casque ou turban. »

Mme Meadows eut un petit rire en entendant la dernière recommandation. « Mais que vais-je faire sans mon turban préféré ? plaisanta-t-elle.

– Et voilà le conseil qu'adorent toutes mes patientes : pas d'efforts pendant les prochaines vingt-quatre heures. Il faut que le produit reste à l'intérieur du muscle, et ne s'échappe pas par la transpiration.

– Oh, ne vous inquiétez pas, docteur. Je ne suis pas entrée dans une salle de gym depuis vingt-quatre ans. Et j'en suis fière. »

Stephen ôta ses gants de latex et les jeta près du sac de glace. Le tout irait dans une poubelle de déchets sanitaires.

Prestement, Mme Meadows se releva du fauteuil médical, fit un geste joyeux de la main, souffla un baiser à l'adresse de Kendra et quitta la salle. « À la prochaine fois ! »

Stephen attendit qu'elle s'éloigne en direction de la réception pour régler sa note, puis ferma la porte de la salle de soins. Leur journée était terminée. « Alors, quels sont les derniers potins ? »

Mme Meadows était une de leurs patientes préférées, une boule d'énergie. Certaines patientes se méfiaient de Kendra, deux d'entre elles avaient même tenu à être examinées par une autre assistante. Le parfum de scandale qui enveloppait la jeune femme faisait au contraire le bonheur de Mme Meadows, commère réputée du quartier.

« Elle a un nouveau copain, annonça Kendra. Celui-là n'a que trente-deux ans. » C'est-à-dire moins de la moitié de l'âge de sa maîtresse.

Stephen hocha la tête. « Le pauvre garçon n'a aucune idée de ce qui l'attend. »

On aurait pu craindre qu'un jeune homme profite d'une riche veuve plus âgée que lui mais Mme Meadows n'était pas une victime. La liste de ses ex-petits amis était longue. « J'ai déjà vécu mon grand amour, disait-elle. Maintenant je veux du changement. »

Stephen prit un ton plus sérieux : « Je ne voulais pas te tanner avec ça mais est-ce que tout se passe bien avec la production de *Suspicion* ? Je sais que tu étais inquiète de la manière dont ils envisageaient de présenter l'affaire. »

Kendra resta d'abord silencieuse et sur la défensive. Elle n'avait pas envie qu'on fourre son nez dans ses secrets. Mais Stephen s'était montré un ami compréhensif, et en ce moment elle avait vraiment besoin d'une oreille bienveillante.

Après un moment d'hésitation, elle décida de partager avec lui certaines informations et de garder les autres pour elle.

« Caroline a révélé quelque chose qui ne me fait pas apparaître sous mon meilleur jour. »

Le regard de Stephen s'assombrit. « Mais elle fait pratiquement partie de la famille. C'est déloyal ! »

Kendra agita les deux mains pour calmer son indignation. « Elle est très loyale. Elle m'a tout raconté de ce qu'elle avait dit à la productrice.

– Par exemple ?

– Aucune importance. Car je suis innocente. Au bout du compte, ils ne peuvent pas grand-chose contre moi. »

Au moment de prononcer ces mots, destinés à les rassurer tous les deux, elle se souvint de la promesse qu'elle avait faite à l'homme du bar. Elle avait juré sur la tête de ses enfants que les producteurs ne connaîtraient jamais son existence. Mais Caroline avait confessé avoir parlé à Laurie des grosses sommes d'argent qu'elle n'avait cessé de tirer. Ils allaient vouloir en connaître la raison.

Et ces paroles terribles que Caroline avait rapportées : « Je suis donc enfin débarrassée de lui. » Elle avait été tellement malheureuse pendant son mariage. Brisée, désespérée. L'ombre d'elle-même. Mais comment avait-elle pu dire ça ? Quelle honte !

Elle en était arrivée au point de souhaiter la mort de son mari – du père de ses enfants. C'était inimaginable, et pourtant c'était la vérité, elle avait entendu ces mots sortir de sa propre bouche. Ces paroles plus les retraits inexpliqués suffiraient à l'envoyer en prison à vie. Bobby et Mindy seraient éduqués par leurs rabat-joie de grands-parents, élevés à leur image.

Non, elle ne se laisserait pas faire. Elle payerait Mike, quel que soit le prix de son silence.

Le regard de Stephen la tira de ses pensées. Il la couvait littéralement des yeux.

« Je ne te remercierai jamais assez pour tout ce que tu as fait pour moi et les enfants, Stephen.

– Je ferais tout pour toi, Kendra. Je t'aime. » Il eut un sursaut, visiblement surpris par son propre aveu. « Je t'aime comme si tu faisais partie de ma famille », ajouta-t-il en la serrant dans ses bras.

Il ouvrit précipitamment la porte et quitta la pièce.

Elle savait que ses sentiments étaient plus profonds, mais – aussi ridicule que cela puisse paraître – le seul homme qu'elle ait jamais aimé était Martin Bell. C'était avant de le connaître vraiment, avant qu'il se comporte comme si elle lui appartenait. Pourrait-elle retrouver l'amour et la confiance avec Stephen ? Pouvait-il représenter une deuxième chance ?

38

AU MOMENT où Laurie ouvrait ses cadeaux au Don't Tell Mama, le sénateur Longfellow se servait un verre de cabernet chez lui. Sa femme préparait le repas pour les chiens. Les allergies alimentaires de Lincoln l'obligeaient à concocter un mélange de lapin et de courge. Et, parce que Leigh Ann était convaincue que les chiens le remarqueraient s'ils étaient traités différemment, Ike avait droit à un régime similaire.

Daniel surprit le regard étonné qu'elle jetait à son verre, mais elle ne fit aucun commentaire. En général, ils ne buvaient pas d'alcool en semaine. C'était une règle qu'ils avaient adoptée après leur rencontre, encore étudiants, quand ils s'étaient rendu compte qu'ils buvaient plus que de raison. « Sobre en semaine. » C'était devenu une routine – une règle à laquelle ils ne dérogeaient pas, afin de préserver leur santé et d'être au top dans leur travail.

Mais la visite des producteurs de *Suspicion* avait donné à Daniel envie d'un verre de vin. « Je crois que ça s'est bien passé, dit-il à Leigh Ann. Et toi ?

— Je peux seulement parler de mon entretien. Ils m'ont paru très sérieux. J'ai cependant eu l'impression que Laurie Moran ne connaissait pas grand-chose à l'enquête initiale de la police. Cela m'a étonnée. »

Son mari avala une gorgée de vin. « Tu sous-estimes ce que j'ai dû faire pour m'assurer que la police taise notre nom dans toute l'affaire. Le commissaire n'a pas menti quand il m'a assuré que les inspecteurs ne voyaient aucune raison de nous impliquer davantage. »

Il avait travaillé sans relâche – non, ils avaient tous les deux travaillé sans relâche – pour arriver là où ils étaient. Quand il avait été élu à l'assemblée de l'État et avait atterri à Albany, il ne doutait pas de tous les changements qu'il avait proposés lors de sa campagne électorale enthousiaste. Mais il n'était que l'un des cent cinquante membres de l'Assemblée, et il s'était retrouvé aux prises avec l'incurie, le népotisme et le copinage. À peine avait-il compris les rouages du système qu'il lui avait fallu se démener à nouveau pour le financement de la campagne. Les souverains pontifes de la politique le qualifiaient d'étoile montante, mais il n'avait aucune perspective d'évolution. Le sénateur de l'État et le gouverneur étaient inamovibles et lui restait bloqué à ce poste qui devait soi-disant être un « tremplin » en politique.

Sans parler du fait qu'il se trouvait coincé dans une ville que Leigh Ann détestait. En privé, elle appelait Albany « le pays de l'ennui » et ne perdait pas une occasion de rappeler à Daniel qu'ils étaient tous les deux beaucoup plus intelligents que ses collègues. À cause des trajets entre la capitale et New York, ils vivaient séparés pendant une grande partie de l'année – c'était plus pratique.

Et soudain, grâce à la nomination au gouvernement fédéral d'un des deux sénateurs de New York, le ciel s'était ouvert et l'étoile montante avait eu sa place dans la galaxie. Après avoir terminé le mandat du précédent sénateur, Daniel avait été largement élu trois ans auparavant. Il avait recueilli presque quatre-vingts pour cent des votes à l'échelon national, du jamais-vu en ces temps de division. Et plus important, du moins à ses yeux, il espérait apporter quelque chose de nouveau. Il ignorait ceux qui l'accusaient de viser avant tout un poste plus élevé. Il s'efforçait, dans le cadre de ses fonctions, d'améliorer la vie des Américains ordinaires, exactement comme il l'avait promis.

Mais il lui semblait parfois que les sombres heures du passé ne le laisseraient jamais en paix. Quand Alex Buckley avait téléphoné la semaine dernière pour lui demander de rencontrer sa fiancée au sujet du meurtre de Martin Bell, il s'était soudain senti pris d'une panique comme il n'en avait pas éprouvé depuis bien longtemps. *Peut-être*

aurais-je dû tout raconter à la police quand ils m'ont inter-
rogé à propos de Martin Bell il y a cinq ans ? Moi qui ai
survécu à une guerre, je ne serais pas assez fort pour accepter
la situation ? J'ai essayé de vivre honorablement, je n'ai fait
qu'une erreur, et j'ai parfois le sentiment que celle-ci me
poursuivra jusque dans ma tombe.

S'efforçant de calmer son angoisse, il se convainquit que Leigh Ann avait probablement raison, comme toujours. Leurs réponses avaient semblé satisfaire Laurie Moran, tout comme elles avaient satisfait la police après le meurtre de Bell.

« Crois-tu que je devrais demander à mon bureau de les appeler pour connaître les intentions de la production ? demanda-t-il. Nous pourrions les menacer d'un procès en diffamation s'ils venaient à faire part des soupçons de Kendra à l'antenne. »

Elle le regarda comme s'il avait suggéré de faire un voyage sur la Lune à bicyclette. Il savait que Leigh Ann l'aimait – autant qu'il l'aimait –, mais il savait aussi qu'elle avait horreur qu'on dise ou fasse n'importe quoi.

« Et leur offrir sur un plateau l'histoire d'un sénateur qui tente de réduire au silence une veuve, mère de deux enfants ? » Elle versa la nourriture des chiens dans leurs gamelles respectives. « Autant donner des verges pour se faire battre. Nos déclarations ont été claires : Martin Bell était un homme qui faisait partie de la même association que moi, une vieille connaissance de jeunesse, un point, c'est tout. »

Ce n'était pas tout à fait la vérité, ils en étaient conscients.

39

AURIE regarda sa montre. Neuf heures du soir. Ils s'étaient tellement amusés qu'elle avait complètement perdu la notion du temps.

Elle demanda l'addition d'un geste mais Charlotte lui saisit la main et la rabattit sur la table. « Primo, les futures mariées ne payent pas leur part. Secundo, tu ne peux pas partir tout de suite. J'ai entendu un couple demander au pianiste de jouer « Schadenfreude » d'*Avenue Q*[1]. À voir leurs yeux briller, je crois qu'ils ont préparé un numéro hilarant.

– J'aimerais pouvoir rester. Cette soirée était géniale, mais je dois rentrer à la maison pour Timmy.

– Je pensais que ton père était avec lui ce soir ? fit Charlotte.

---

1. *Avenue Q* est une comédie musicale créée en mars 2003, jouée à la fois par des comédiens et des marionnettes. (*N.d.T.*)

– Non. Il devait se rendre à un dîner en ville avec je ne sais qui, mais Timmy avait un devoir de sciences à faire avec un copain, chez lequel il dînait. En principe ses parents le ramènent à la maison à neuf heures et demie, donc il faut absolument que j'y aille.

– Tu es vraiment une super maman », dit Charlotte en l'embrassant avant de demander l'addition.

Tandis qu'elle se battait avec Jerry et Grace pour payer la note, Laurie commença à ranger ses cadeaux dans le vaste sac que lui avait offert son amie. C'était un nouveau modèle de la ligne Ladyform fabriqué dans un cuir épais et souple. Charlotte avait précisé qu'il serait parfait pour son voyage de noces, mais ce soir il était parfait pour transporter tous ses cadeaux. Toutefois, de tous ces présents, son préféré était le cadre en cristal avec la photo où elle se tenait près d'Alex. Elle avait été prise lors de la première émission spéciale qu'ils avaient réalisée ensemble. Même si leur relation était alors strictement professionnelle, le photographe avait su saisir les sentiments qu'ils nourrissaient déjà l'un pour l'autre.

Pour finir, elle fourra sa serviette dans la poche extérieure. « Ce sac est vraiment gi-gan-tesque ! » dit-elle, satisfaite.

Ils se levaient de table quand le pianiste annonça le morceau suivant. C'était l'air d'*Avenue Q* que Charlotte avait mentionné. Deux tables plus loin, un couple enthousiaste se leva d'un bond. Leurs amis applaudirent en les voyant s'avancer vers l'estrade. Charlotte regarda Laurie d'un air suppliant.

« Non. Sérieusement, je dois partir. Mais restez, vous autres ! Vous en mourez d'envie. » D'un geste décidé, elle passa son sac par-dessus son épaule droite.

Charlotte se rassit et fit signe à Jerry et Grace de l'imiter. Elle envoya un baiser à Laurie et articula « bonne nuit » tandis que le pianiste commençait à jouer.

En se dirigeant vers la sortie, Laurie heurta un client assis au comptoir avec son sac et s'excusa.

Dehors, elle se posta devant la porte du bar, scrutant la 46ᵉ Rue dans l'espoir d'apercevoir un taxi en maraude. Il ne lui restait pas beaucoup de temps si elle voulait arriver chez elle avant Timmy, et elle avait peu de chances d'en trouver un libre à cette heure de la soirée dans le quartier des théâtres. Elle songea à appeler un Uber, mais son téléphone était dans sa serviette, elle-même fourrée dans l'énorme sac sur son épaule. Elle n'avait nulle envie de le poser sur le trottoir.

Elle poussa un soupir de soulagement en apercevant le signal lumineux d'un taxi. Elle descendit du trottoir et s'avança sur la chaussée en levant la main. *Pitié*, pensa-t-elle, *faites que personne ne se pointe pour me piquer mon tour.*

Elle sentit un mouvement derrière elle et leva instinctivement la main encore plus haut en voyant le taxi ralentir. *Mon taxi. C'est mon taxi.*

Le choc fut rapide. Et violent. Comme si un footballeur lui envoyait un coup de boule. Étourdie, elle tomba par terre au milieu de la chaussée, sentit le ciment lui écorcher la peau du crâne. Elle poussa un hurlement au moment où les phares l'éblouissaient. Le taxi dérapa dans un crissement de pneus et stoppa net, juste à temps pour ne pas la heurter.

Laurie s'efforça de se redresser et perdit un de ses escarpins en se remettant debout. Son sac avait disparu. Un homme en pantalon noir et capuche s'enfuyait avec vers la Huitième Avenue, et elle se mit à crier.

« Arrêtez ! Arrêtez-le ! Au voleur ! »

Le chauffeur du taxi sortit de son véhicule, lui demanda si elle était blessée. Une femme s'arrêta pour ramasser sa chaussure et la lui rapporter. D'autres piétons continuèrent simplement leur chemin avec indifférence, feignant de ne pas remarquer la scène. Personne n'essaya d'arrêter l'homme qui s'enfuyait à toutes jambes, loin de cette femme enroulée dans un ridicule boa violet.

« Je vous en prie, pouvez-vous le suivre ? » demanda Laurie au chauffeur.

Il leva les deux mains dans un geste d'impuissance. « C'est le job de la police, m'dame », dit-il avec un accent chantant. « J'ai une femme et cinq gosses. J'peux pas jouer les héros. »

Elle hocha la tête, résignée, et regarda un homme vêtu d'un costume bien coupé monter à l'arrière de ce qui était censé être son taxi.

40

LAURIE refusa l'aide que lui proposaient des passants. Dépouillée de sa serviette et de son portefeuille, elle regagna le bar. Avant même qu'elle ait eu le temps de raconter à Charlotte et aux autres ce qui venait d'arriver, plusieurs policiers déboulèrent dans la salle. Quelqu'un avait dû les appeler.

Laurie, qui n'avait jamais aimé être le centre de l'attention, se retrouva sur un tabouret de bar, entourée de curieux, à raconter sa mésaventure à un nombre croissant d'agents de police.

« Vous avez reçu un coup à la tête, nota l'un d'eux. Vous êtes sûre que vous ne voulez pas passer une radio pour vérifier si tout va bien ? » Il désigna la poche de glace qu'elle tenait maladroitement contre son crâne.

« Vraiment, je vais bien, je suis juste… un peu choquée. Ce taxi aurait pu m'écraser. Dieu merci, il a eu de bons réflexes. »

Un autre agent, plus âgé, arriva sur les lieux. Un inspecteur de police, à en juger par l'insigne sur son épaule. Laurie comprit que quelqu'un avait fait le rapport entre la victime et l'ex-commissaire en chef Leo Farley.

Le nouvel arrivant se présenta. « Inspecteur Patrick Flannigan. Je suis désolé que cela vous soit arrivé dans notre district.

— Ne vous excusez pas… Vous n'y pouvez rien, ajouta-t-elle avec un sourire. Et, croyez-moi, je ferai savoir à mon père que la police est intervenue en moins de temps qu'il n'en faut pour le dire.

— Malheureusement, mes agents disent qu'on n'a pas réagi assez vite pour rattraper le coupable. Une femme a rapporté qu'un homme avec un grand sac l'a bousculée, mais elle ne l'a pas bien vu. Il s'est fondu dans la foule et a disparu. Nous allons quand même visionner les vidéos des caméras de surveillance. »

Laurie secoua la tête. « Il avait le visage dissimulé sous une capuche. Je doute que vous le retrouviez. »

Flannigan fit signe au barman. « Vous avez eu des clients ce soir qui ont quitté le bar à la même heure que Mme Moran ? »

Le barman fronça les sourcils, fouillant sa mémoire. « Ouais, peut-être. Il y avait un type, à la place que vous occupez, en fait, dit-il en se tournant vers Laurie. Buvait du Johnnie Walker Black Label, et pas qu'un verre. C'est tout ce dont je me souviens, à vrai dire.

– Vous avez le reçu de sa carte de crédit ? demanda Flannigan.

– Il a payé en liquide. Et j'ai déjà dit à l'autre agent que nous n'avions pas de caméras ni rien de ce genre. C'est terrible. Ça n'arrive jamais ici. Les gens viennent pour se distraire. »

Quelques mètres plus loin, Grace plaisantait avec Charlotte et Jerry à propos de la boîte de chippendales de l'autre côté de la rue. Ce qui ne l'empêchait pas de passer les coups de téléphone requis pour faire opposition aux cartes de crédit de Laurie. Quelques agents de police eurent l'air de trouver cette hilarité déplacée, mais elle rassurait Laurie. Elle voulait croire que tout était normal, pourtant elle ne pouvait s'empêcher de penser que ce vol était lié à l'enquête sur Martin Bell.

Elle se tourna vers l'inspecteur. « Y a-t-il beaucoup de vols à l'arraché par ici ? »

Il soupira. « J'aimerais vous dire que non, mais nous sommes à New York. Tout peut arriver à tout moment. Statistiquement, ce quartier est plutôt tranquille, surtout à cette heure de la soirée. À deux, trois heures du matin, c'est une autre histoire. Mais le barman ne ment pas quand il dit que ça n'arrive pas souvent. J'ai l'impression que vous posez la question pour une raison précise. Je me trompe ?

– Non. Je suis productrice de télévision. Mon émission, *Suspicion*, reprend des enquêtes…

« — Je connais bien votre émission, madame Moran. Vous faites du bon boulot.

— Merci, je vous en prie, appelez-moi Laurie. Nous sommes au beau milieu d'une production en ce moment. Il s'agit de l'affaire Martin Bell », dit-elle en baissant la voix.

Il laissa échapper un sifflement. « C'est du sérieux. Je ne connais pas toute l'histoire, mais je croyais l'affaire classée.

— En effet. Et, pour parler franchement, nous n'avons pas fait autant de progrès que je le voudrais. Mais nous avons levé quelques lièvres. Et ma serviette, mon ordinateur portable et mes notes se trouvaient justement dans le sac qu'on vient de me voler.

— Vous avez une idée de qui pourrait vous avoir agressée ? »

Laurie réfléchit. Ce n'était certainement pas Kendra. Même si elle n'avait pas distingué le visage de son assaillant, sa carrure et sa façon de se déplacer étaient celles d'un homme. Le sénateur Longfellow était beaucoup plus grand que l'homme qu'elle avait vu s'enfuir en courant et, de toute façon, il était au-dessus de tout soupçon. George Naughten, pour sa part, était plus petit et corpulent, mais elle ne le croyait pas physiquement capable de la flanquer par terre et de courir aussi vite.

Le patron de Kendra, Stephen Carter ? Ce n'était pas impossible. Cela étant, comment aurait-il été au courant de la présence de Laurie dans ce restaurant ? S'il ne s'agissait pas d'un vol à l'arraché, alors son assaillant la suivait probablement depuis plusieurs heures.

Non, de tous les noms inscrits sur le tableau blanc de son bureau, un seul lui paraissait plausible, et ce n'était même pas un nom : le mystérieux compagnon de beuverie de Kendra aux Petits Truands. Elle se souvenait de la description qu'en avait faite la femme du bar : l'air d'un dur, la tête rasée, le regard mauvais.

Elle n'avait pas vu le visage de l'homme, mais elle revoyait ses yeux – froids et menaçants – au moment où il l'avait poussée.

41

L AURIE faisait part de ses réflexions à l'inspecteur Flannigan quand la porte du bar s'ouvrit à nouveau – sur son père cette fois. Il s'élança vers elle et la prit dans ses bras. Avant de la considérer d'un air soucieux.

« Papa, je vais bien. Qu'est-ce que tu fais là ? »

Après avoir parlé à la police, Laurie avait emprunté le téléphone de Charlotte pour demander à Leo s'il pouvait aller attendre Timmy chez elle. Elle était désolée d'interrompre son dîner, mais elle ne voulait pas que son fils se retrouve seul sans savoir pourquoi.

« Ne t'inquiète pas. Timmy est entre d'excellentes mains. Sa baby-sitter vient de m'envoyer un texto. Elle dit qu'elle sera à l'appartement avant lui et qu'ils vont certainement devenir les meilleurs copains du monde.

– Copains ? Papa, je suis désolée mais tu ne peux pas engager une inconnue au dernier moment pour garder Timmy.

– Ce n'est pas une inconnue », dit-il d'un ton embarrassé. Elle n'avait jamais vu son père aussi embrouillé dans ses explications. « Mais une personne de confiance. En réalité, murmura-t-il, si bas qu'elle put à peine entendre, elle est juge du district fédéral. »

Bien qu'elle ne fût pas d'humeur à sourire, Laurie ne put s'en empêcher. Elle s'imagina son père en train de courtiser Mme le juge Russell. Il avait dû lui téléphoner après leur rencontre à la cérémonie d'intronisation d'Alex. Laurie avait interrompu leur dîner, il lui avait expliqué l'urgence de la situation et elle s'était proposée pour garder son petit-fils.

« Bon, en tout cas, tu auras eu un premier rendez-vous pas banal, une belle histoire à raconter, si ça marche entre vous, le taquina-t-elle.

– Désolé d'avoir pris une décision aussi précipitée, mais Alex m'a téléphoné au moment où Maureen et moi sortions du restaurant. Il était paniqué, prêt à tout quitter pour sauter dans un avion et rentrer à New York, quand je lui ai assuré que je me rendais sur les lieux. »

Après avoir appelé Leo, Laurie avait en effet téléphoné à Alex à Washington, essayant de minimiser la gravité de l'incident. Elle aurait dû se douter qu'il allait s'affoler.

L'inspecteur Flannigan s'approcha d'eux. « C'est un honneur de vous rencontrer, commissaire.

– Appelez-moi Leo. En arrivant, je pensais que vous seriez tous partis au commissariat.

– Je me suis dit qu'il valait mieux qu'un inspecteur interroge le témoin, étant donné les circonstances. Laurie m'a dit qu'elle s'était sentie suivie la semaine dernière.

– Quelqu'un te suivait ? demanda Leo, visiblement inquiet.

– Sur le moment, j'ai cru que mon imagination me jouait des tours », dit-elle, pour se rattraper de n'en avoir pas parlé plus tôt. « Maintenant, je ne sais plus. C'est une supposition, mais si Kendra a engagé quelqu'un pour tuer son mari, elle peut aussi l'avoir engagé pour savoir où nous en sommes dans notre enquête. Mes notes et mon ordinateur se trouvaient dans mon sac. Envolés ! »

À dire vrai, ses notes ne contenaient que des hypothèses. L'homme du bar constaterait avec satisfaction qu'elle n'était pas plus avancée que la police sur son identité.

Leo secoua la tête. « Tes notes, c'est une chose, Laurie. Mais Charlotte m'a raconté ce qui était arrivé. On t'a poussée sous les roues d'une voiture. Tu aurais pu y laisser la vie.

– Un moyen comme un autre de vous empêcher de poursuivre votre enquête », dit Flannigan, pince-sans-rire.

Laurie avait vu avec terreur le taxi se diriger sur elle, mais qu'on ait voulu la tuer ! Cela ne lui avait pas traversé l'esprit ! « Ou bien, ajouta Flannigan, c'était juste un vol à l'arraché. On ne le saura que lorsqu'on aura trouvé le responsable. »

Visiblement, il n'était pas optimiste.

42

À QUINZE BLOCS du piano-bar, dans les toilettes d'un Starbucks, l'agresseur de Laurie se repassait les événements de la soirée.

Je n'aurais pas dû commencer par avaler un scotch. Ça me rend agressif, on me le disait autrefois, quand il y avait dans ma vie des gens qui voulaient mon bien. Ce soir, il avait été stupide et sauvage, au lieu de se montrer méthodique et intelligent. Il avait agi sans réfléchir ; et maintenant il se retrouvait avec un paquet d'affaires dont il ne savait quoi faire, des cadeaux ridicules, gaguesques, comme un T-shirt marqué « Je le veux » et un mug décoré d'un chat en robe de mariée.

Le téléphone était inutilisable, du moins pour lui, sans code d'accès. Son premier réflexe, une fois mêlé à la foule de Times Square, avait été de se réfugier au Starbucks, de trouver le téléphone dans le fourre-tout, et de l'éteindre avant de le mettre à la poubelle. Ç'aurait été une erreur de débutant de se faire prendre à cause d'un portable facilement repérable.

Heureusement, l'ordinateur de Laurie n'était pas verrouillé.

Il avait épluché son agenda et ses mails récents. Sa boîte contenait plusieurs messages d'un agent immobilier appelé Rhoda Carmichael, accompagnés de photos de luxueux appartements et de descriptions détaillées de copropriétés cinq étoiles. Comme il était loin le temps où il avait lui aussi les moyens de se payer un appartement de ce genre ! Le ton des messages montrait que Mme Carmichael était impatiente de voir Laurie et son parfait fiancé se décider.

L'homme savait qu'une fois les tourtereaux installés ensemble, Laurie lui serait plus inaccessible encore. Elle allait épouser un juge fédéral. L'honorable juge Buckley jouirait d'une sécurité renforcée, non seulement dans son travail, mais à son domicile. Pour l'instant, Laurie ne bénéficiait d'aucune protection.

Il entreprit de lire son cahier à spirale. Les notes les plus récentes concernaient Daniel et Leigh Ann Longfellow. Il se demanda un instant combien il pourrait tirer de la vente de ces pages à la presse à scandale, mais repoussa immédiatement cette idée : c'était le meilleur moyen de mettre en danger son anonymat. Il prit plutôt un certain plaisir à lire des informations qui ne concernaient qu'un tout petit nombre de personnes choisies.

D'après ce qu'il comprenait, Laurie formait déjà quantité d'hypothèses sur l'identité du coupable du meurtre de Martin Bell, mais était encore incapable d'en prouver aucune.

Il referma l'ordinateur et le cahier puis revint à la photo encadrée empaquetée dans sa boîte bleue. Il sortit le cadre, le retourna, retira la photo et la déchira en mille morceaux qu'il jeta dans les toilettes. Il regarda les petits bouts de papier glacé tournoyer dans l'eau et disparaître à jamais, comme s'étaient enfuis ses propres jours heureux.

Il fourra le contenu d'un des deux sacs dans la poubelle et le recouvrit de plusieurs serviettes en papier. La poubelle paraîtrait peut-être lourde à celui ou celle qui la sortirait plus tard dans la soirée, mais il n'avait pas parcouru quinze blocs depuis le bar pour rien. Il se trouvait bien au-delà du périmètre d'intervention de la police. Et aucun employé d'une chaîne de cafés n'irait s'amuser à fouiller dans les ordures.

Le sac de cuir, en revanche, posait un problème. Il était trop grand. Il le mit sur son épaule, baissa la tête et sortit dans la rue. Puis, sur une impulsion, en passant devant un SDF endormi près d'un carton contenant ses maigres affaires, il le lui laissa en cadeau, scrutant les alentours pour s'assurer que personne ne l'avait vu faire.

Et maintenant ? Il envisagea de regagner la 46ᵉ Rue pour y prendre son 4×4, mais c'était trop risqué. La police surveillait probablement tout le pâté de maisons. Il ne lui restait qu'à rentrer chez lui en métro et revenir chercher sa voiture le lendemain matin. Ils auraient fini d'inspecter les lieux à ce moment-là.

Il descendit l'escalier de la station de métro pour prendre la ligne Q, et repensa aux notes détaillées de Laurie. Elle ne lâcherait pas l'affaire, c'était certain. Il fallait juste qu'il trouve le bon moment. La prochaine fois, il ne ferait pas d'erreur.

43

L E LENDEMAIN APRÈS-MIDI, Laurie sentait le tissu de son nouveau pantalon frotter désagréablement contre sa jambe écorchée. La vendeuse de Bloomingdale lui avait vanté la douceur et la tenue du mélange coton et nylon, mais pour l'instant elle avait plutôt l'impression qu'on lui raclait la peau avec du papier de verre. Elle se souvenait encore de la sensation du bitume contre sa jambe. Elle aurait été plus avisée de mettre une robe, mais elle ne voulait surtout pas que Timmy voie qu'elle était blessée. Elle avait décidé de minimiser l'incident en lui disant qu'on lui avait volé ses affaires lors de sa sortie avec Charlotte. Elle n'avait pas pour habitude de lui cacher la vérité, mais il avait déjà perdu un de ses parents dans des circonstances tragiques. Inutile de l'inquiéter sans raison.

Elle avait passé la matinée à l'Apple Store avec Grace, pour remplacer son portable et son ordinateur. Heureusement, Grace en avait sauvegardé les contenus et les sorciers du Genius Bar avaient réinitialisé toutes les applications avant l'heure du déjeuner. Il faudrait attendre quelques jours avant que les cartes de crédit et son permis de conduire soient renouvelés mais, d'une manière générale, tout paraissait revenu à la normale. La seule chose qui lui manquait vraiment, c'était la photo d'Alex et elle dans son joli cadre de cristal.

Un léger coup à la porte la prévint de l'arrivée de Grace et de Jerry. Elle avait organisé une réunion pour mettre au point le story-board de l'émission. À sa grande surprise, Ryan lui avait proposé de mener la réunion sans lui.

« Tu es prête ? demanda Grace.

– Oui. »

Ils entrèrent du même pas. Avec ses talons de dix centimètres, Grace faisait exactement la même taille que Jerry. Chacun tenait quelque chose à la main : Jerry un fourre-tout en cuir de chez Ladyform, et Grace une boîte bleue coquille d'œuf entourée d'un ruban de satin blanc.

« Vous deux, alors ! s'exclama Laurie. C'est vraiment trop. »

Prenant la boîte que lui tendait Grace, elle en ôta le ruban, l'ouvrit et y trouva un nouveau cadre de cristal, avec la même photo d'Alex et elle. « Non, vraiment, je ne peux pas accepter… », protesta-t-elle, soudain les larmes aux yeux.

Jerry posa le fourre-tout sur une chaise et s'assit à côté de Laurie. « Ne t'en fais pas. Le directeur de Tiffany a insisté pour nous offrir le cadre après avoir appris ton aventure, dit Jerry.

– Quant au sac, dit Grace, j'adore ce que fait la boîte de Charlotte, mais est-ce que tu connais la marge qu'ils prennent sur leurs produits ? Crois-moi, ta copine peut t'offrir ça. »

Laurie regarda le cadre et sourit. La pensée qu'un voleur – ou pire – ait pu regarder cette photo la nuit dernière la rendait malade. Elle imaginait un individu à l'air mauvais la jetant à terre avant de fouiller méthodiquement son sac à la recherche de quelque chose qui comptait pour elle.

Elle posa la photo à côté de celle où elle figurait avec Greg et Timmy et de celle où ils étaient tous les quatre, Alex, Timmy, Leo et elle. D'une certaine façon, chacun avait repris sa place.

Quarante minutes plus tard, ils avaient établi le story-board de la prochaine émission de *Suspicion*. Ryan rappellerait les circonstances de la rencontre de Martin et Kendra, pendant que seraient projetées des vidéos de l'école de médecine où elle avait eu lieu, puis de l'église où ils s'étaient mariés et enfin de leur maison, devant laquelle il avait été assassiné.

Ils avaient déjà obtenu les accords de participation signés de Kendra et des parents de Martin. Ces derniers accuseraient Kendra, tandis qu'elle se dépeindrait comme une épouse incomprise, c'était presque certain. Mais ils avaient de nouvelles informations à révéler sur le plateau. En tant que présentateur, Ryan procéderait à un contre-interrogatoire de Kendra, la confrontant au fait avéré que son mari avait projeté de divorcer et d'obtenir la garde des enfants.

« N'oublions pas les révélations de la nounou », dit Jerry.

Ce souvenir faillit faire bondir Grace de sa chaise : « À quoi Kendra dépense-t-elle tout ce fric, et quelle femme est-elle pour lâcher qu'elle est enfin débarrassée de lui au moment où elle apprend que son mari vient d'être abattu devant sa porte ? Désolée, mais c'est on ne peut plus clair. Cette charmante dame a engagé un tueur pour se débarrasser de Martin Bell et elle continue à le payer pour qu'il se taise. Affaire résolue. »

Le visage de Jerry exprimait clairement qu'il partageait cette vision des choses.

Laurie, quant à elle, essayait de se concentrer sur le montage de chaque scène de l'émission, mais elle était encore hantée par son agression de la veille. *Kendra a pu payer le tueur pour me supprimer moi aussi*, songeait-elle. Elle parvint tant bien que mal à repousser cette pensée. Au fond, il s'agissait peut-être seulement d'un vol à l'arraché.

La sonnerie du téléphone l'interrompit dans ses réflexions. Grace se leva pour aller répondre. « Bureau de Laurie Moran. » Quelques secondes plus tard, elle mit son correspondant en attente et annonça à Laurie que George Naughten demandait à lui parler. Laurie se leva pour prendre l'appel.

Il avait parlé à son psy depuis leur visite. Le psy lui conseillait de participer à l'émission. « J'aurai la chance de parler de maman, à la télévision, devant une très grande audience. Je pourrai parler de l'accident de voiture et de ce que lui a fait le Dr Bell avec son soi-disant traitement miracle. »

Laurie feignit l'enthousiasme. « Formidable ! » Au début, George avait fait figure de suspect idéal : un homme animé d'une rancune tenace et qui possédait une arme. Mais après leur rencontre, elle n'en était plus si sûre. Et voilà qu'aujourd'hui il voulait participer à leur émission ! Sans aucun doute dans l'intention d'utiliser son temps d'antenne pour étaler ses griefs contre ceux qu'il accusait d'avoir provoqué la mort de sa mère. « Votre intervention porterait donc sur ce que vous nous avez confié hier ? demanda-t-elle, pour s'en assurer.

– Non, dit-il avec force. Il y a autre chose, que je n'ai jamais dit à personne. »

Laurie se redressa brusquement dans son fauteuil, faisant sursauter Grace et Jerry qui l'écoutaient en silence. « Pouvez-vous m'en dire un mot ?

– Non. Je ne le ferai que si vous me libérez de l'accord de confidentialité que j'ai signé.

– Comme je vous l'ai dit, George, nous n'avons pas besoin de connaître les détails de votre plainte contre le Dr Bell.

– C'est à prendre ou à laisser, dit-il, soudain résolu. Ce sont mes conditions. Je peux vous révéler quelque chose qui vous intéressera – faites-moi confiance –, mais seulement si je ne suis plus contraint par cet accord. »

Laurie ferma les yeux en soupirant. Rien, dans toute son histoire, n'aurait probablement de rapport avec le meurtre de Martin Bell. Mais elle avait pour devise de ne négliger aucune piste. Il voulait être libéré de son accord de confidentialité. Bien. Les parents de Martin Bell pourraient l'accepter. Eux aussi souhaitaient que le meurtre soit élucidé.

« Je pense que nous pouvons nous arranger », dit-elle.

Laurie fit signe à Grace et Jerry, étonnés, de la laisser seule. Elle téléphona aux parents de Martin Bell et laissa un message leur demandant de la rappeler.

Son regard se posa sur les trois photos qui ornaient désormais son bureau et elle eut soudain envie de se retrouver chez elle, en famille. L'épisode de la nuit précédente l'avait plus secouée qu'elle ne voulait se l'avouer. Mais Alex était à Washington, Timmy à l'école, et son père en réunion avec la brigade antiterroriste près de Randall's Island.

Je vais encore travailler une heure, se dit-elle. *Puis j'irai faire les courses, paierai en liquide comme au bon vieux temps, et j'irai chercher Timmy à l'école. Nous rentrerons à pied à la maison et nous profiterons d'une soirée ensemble, rien que tous les deux, tant que nous pouvons encore le faire.*

44

LE LENDEMAIN SOIR, Laurie aperçut Alex à travers les baies vitrées du Marea. Il avait l'air détendu et confiant, debout près du pupitre de l'hôtesse. Elle ne l'avait pas vu depuis quatre jours seulement, mais elle avait presque oublié à quel point il était beau et élégant.

Les yeux bleu-vert d'Alex s'éclairèrent derrière ses lunettes cerclées de noir en la voyant entrer dans le restaurant. « Te voilà ! » Il l'attira dans ses bras. Comme il lui avait manqué !

L'intégralité ou presque de leurs conversations téléphoniques pendant qu'il était à Washington avait été consacrée à ressasser son agression. Elle lui avait fait promettre qu'ils n'y feraient pas allusion au cours de la soirée. Elle embraya alors sur son passage au Congrès.

« J'ai appris plus que je ne m'y attendais. Je connais le droit pénal comme ma poche, mais j'en sais désormais un peu plus sur les grands procès civils ou les actions en justice collectives. Il me reste la fin de la semaine pour organiser mes chambres avant que la présidente du tribunal répartisse les procès la semaine prochaine. »

Il semblait curieusement inquiet à cette perspective, mais elle ne doutait pas de ses capacités à faire face à ses nouvelles responsabilités. Sa nervosité montrait seulement qu'il en mesurait l'importance.

« Je suis sûre que tu n'imaginais pas que ta présidente accepterait de faire du baby-sitting pour ton futur beau-fils avant même de t'avoir attribué une affaire. »

Il sourit à l'idée que Leo sortait avec Mme le juge Russell. « J'ai cru remarquer que le courant passait plutôt bien entre eux l'autre soir. En temps normal, elle papillonne dans ce genre de réception, mais ce soir-là elle donnait l'impression de s'intéresser uniquement à ton père.

– Tu te rends compte que si jamais ça devient sérieux entre elle et papa, elle pourrait devenir ma belle-mère, et du même coup ta... belle-mère ? Est-ce qu'il y aurait conflit d'intérêts ? »

Il sembla réfléchir à la question puis secoua la tête. « Je n'en ai aucune idée. Tu crois que cela pourrait devenir sérieux à ce point ?

– Qui sait ? Mais après toutes les petites piques qu'il s'est amusé à me lancer sur mes relations avec toi, ce serait amusant de lui renvoyer la balle. »

Alex prit un ton plus sérieux : « Vraiment, tu ne verrais aucun inconvénient à ce que quelqu'un d'autre partage sa vie ?

– Aucun. » La mère de Laurie, Eileen, était morte avant la naissance de Timmy. Elle racontait qu'elle avait épousé le premier garçon qu'elle avait embrassé. Ils formaient le genre de couple qui se tient par la main sans même s'en rendre compte. « Je sais qu'il est heureux d'être père et grand-père, mais il est temps pour lui de passer à autre chose. Je n'ai pas envie qu'il reste seul toute sa vie. Il doit sortir à nouveau avec elle vendredi soir, on verra. Pour l'instant, ils n'ont dîné ensemble que deux ou trois fois. Il passe de bons moments, c'est déjà ça.

– À propos de dîner, devine qui m'a invité pour fêter ma nomination ?

– Est-ce que je dois être jalouse ?

– Certainement pas. Carl Newman », dit-il en baissant la voix.

Laurie ignorait s'il était réglementaire qu'un juge entretienne des relations amicales avec d'anciens clients, mais celui-là était tellement honni à New York que son acquittement avait failli mettre en péril la nomination d'Alex. « Tu ne vas pas accepter, j'espère ?

– Jamais de la vie ! Ce serait malvenu. Et, pour être franc, c'est un de mes rares clients que j'aurais préféré voir condamné.

– Sauf qu'il avait un trop bon avocat, dit-elle.

– Ce n'est pas moi qui suis à blâmer. Ce sont plutôt les enquêteurs, voire les jurés.

– Tu veux savoir ce que je pense ?

– Tu en penses quoi ?

– Qu'ils ont tous été fascinés par ton physique et ton charme irrésistible. »

Alex rit. « Il faudrait que je m'absente plus souvent », dit-il en lui prenant la main.

45

DE L'AUTRE CÔTÉ de la rue à Central Park South, l'homme vit Laurie entrer dans un restaurant appelé Marea peu de temps après son fiancé. Parfaitement synchronisés. Le couple parfait ! C'était écœurant.

Il s'en voulait encore d'avoir tout raté la dernière fois. La faute au scotch. Il ne changerait donc jamais ! Incapable de se refuser un verre quand il se trouvait devant un mur de bouteilles ?

C'était le genre de légèreté qui l'avait conduit là où il en était. La prochaine fois, il ne manquerait pas son coup. Il monterait la garde sans faiblir et serait prêt à agir quand elle se trouverait isolée. Au bon moment.

Un coup sourd le fit sursauter et il tourna brusquement la tête, s'attendant à voir quelqu'un frapper à la fenêtre de son 4×4 blanc. Personne. Il regarda par la fenêtre du côté passager et comprit d'où venait le bruit. Sur le trottoir, deux gosses jouaient du tambourin sur des seaux renversés. Quelques personnes s'étaient levées pour aller danser sur l'herbe. *Je devrais peut-être m'asseoir parmi ces gens joyeux, leurs vies déteindraient sur la mienne*, se dit-il. Puis il se moqua de lui-même. Ce n'était pas comme ça qu'on trouvait le bonheur.

Un couple, bras dessus, bras dessous, traversa la rue devant sa voiture et se dirigea vers le restaurant où Laurie et Alex étaient en train de dîner. L'homme portait un costume sur mesure, la femme une petite robe noire. La façade du Marea était discrète, mais il savait que c'était un restaurant raffiné aux prix stratosphériques. Il avait eu ses habitudes dans ce genre d'endroits autrefois. Il se glissait jusqu'au bar et buvait des martinis sans compter. Les bars élégants lui manquaient, la lumière tamisée et les serveurs déférents. Quand il avait absolument besoin de boire, désormais, il se retrouvait dans un bar de quartier miteux, souvent en sous-sol, avalant d'une traite un Four Roses.

Deux heures plus tard, au moment où il était sur le point de s'assoupir, il vit Laurie sortir du restaurant. Elle était avec son fiancé. Ils se tenaient par la main. Même parmi de nombreux passants, l'arrogance de ce type était flagrante.

Je vais lui passer l'envie de se promener avec cet air suffisant sur le visage, se dit-il. *Quand elle ne sera plus là, il deviendra comme moi : un pauvre type.*

46

LE LENDEMAIN en fin de matinée, dans les embouteillages, Jerry semblait très satisfait au volant de la berline qu'ils avaient louée pour se rendre à Rosedale, dans le Queens – soi-disant pour discuter de l'émission à l'abri des oreilles indiscrètes, mais Laurie savait qu'il s'imaginait déjà au volant de la BMW qu'il allait acheter. Le vendeur lui avait promis qu'il pourrait passer la chercher à la fin de la journée.

En entendant le dernier succès d'Adele à la radio, Jerry se mit à chanter de concert, accompagné par Grace à l'arrière qui faisait les harmonies. *Inutile d'espérer parler de l'émission*, pensa Laurie.

La rue où habitait George Naughten était presque déserte. Ils se rendaient chez lui pour recueillir ses confidences sur le procès qu'il avait intenté à Martin Bell. Laurie avait persuadé les parents de Martin de libérer George de son engagement de confidentialité dans le cadre de la transaction conclue avec la succession de Martin. Ils voulaient protéger la réputation professionnelle de leur fils, mais elle les avait convaincus qu'il y allait de la résolution de l'enquête.

Jerry arrêta la voiture devant la maison de George, le camion de la production à sa suite. Une troisième voiture s'arrêta à leur hauteur le long du trottoir opposé, du côté gauche de la rue. Leo en descendit et plaça son autorisation de stationnement derrière le pare-brise. Après l'incident du lundi soir, il était hors de question que Laurie rencontre un individu condamné pour harcèlement sans un minimum de protection. Il avait promis de se « montrer discret », d'utiliser sa propre voiture, mais elle savait qu'il avait son arme dans un étui dissimulé sous sa veste.

Laurie éteignit la radio et se tourna vers Ryan.

« Prêt ? »

Il leva le pouce. Ils avaient passé la matinée à envisager toutes les situations possibles.

« Pratique, pour aller à l'aéroport, quand on habite cette partie de la ville », dit Jerry en descendant de voiture au moment où un avion passait au-dessus de leurs têtes.

« Idem lorsqu'on habite à Lakeview, dit Grace. Avant que mes parents déménagent, je passais tout le temps par ici.

– J'espère qu'ils n'ont jamais embouti la voiture de maman Naughten. Tu as vu la fureur de George quand il en parle », dit Jerry en plaisantant.

Laurie leur fit signe qu'il était temps d'arrêter de blaguer. Ils approchaient.

Comme lors de leur première visite, George entrebâilla la porte d'entrée et jeta d'abord un coup d'œil soupçonneux au petit groupe sur le perron.

« Bonjour George. Je suis Laurie Moran, la productrice de l'émission *Suspicion* », annonça-t-elle, bien qu'elle fût certaine qu'il l'avait reconnue.

« Ah, oui, d'accord », dit-il en leur faisant signe d'entrer. « C'est que je ne m'attendais pas à vous voir si nombreux.

– Eh bien, si nous voulons filmer, il faut plusieurs personnes pour s'en occuper. »

Laurie lui présenta l'équipe de tournage tandis qu'ils commençaient à s'installer dans le living-room. Ils avaient apporté du matériel d'éclairage pour compenser l'obscurité de la pièce qui se transforma vite en véritable studio. George, vêtu du même T-shirt et du même pantalon de survêtement que la fois précédente, contemplait toute l'opération d'un air ébahi.

« Il n'y a aucune raison de vous inquiéter, George », le rassura Ryan avec chaleur.

Il lui remit un exemplaire de leur accord de participation à signer et un stylo. George parcourut rapidement le document avant de griffonner sa signature. Il conférait aux studios Fisher Blake un droit exclusif de contrôle sur l'utilisation et le montage des séquences qui allaient être tournées. George exprimerait sans doute ses griefs à l'encontre de Martin Bell, mais ils n'avaient pas obligation de les diffuser.

« J'aimerais être assis dans mon fauteuil pour tout ça », dit George en se dirigeant vers son siège inclinable.

Leo se précipita aussitôt vers le fauteuil et Laurie comprit qu'il voulait vérifier qu'il ne dissimulait aucune arme. « Je veux juste m'assurer qu'il n'y a rien qui puisse gêner le matériel », marmonna-t-il en guise d'explication.

Apparemment satisfait, George s'installa confortablement pendant qu'un assistant accrochait un micro à son T-shirt.

Une fois les caméras en place, le tournage débuta.

« Commençons par les événements qui sont à l'origine de l'action en justice, dit Ryan. Qu'avez-vous pensé du traitement prescrit à votre mère par le Dr Bell ?

– Oh, maman avait une sacrée énergie, vous savez », répondit George affectueusement. Il s'interrompit, puis un sourire apparut sur son visage, le premier que Laurie lui voyait. « Vous savez qu'elle avait l'intention de traverser le pays à bicyclette ? De New York jusqu'en Californie ! Elle avait eu cette idée dingue à l'âge de soixante-trois ans. Elle suivait un programme d'entraînement, faisait de la marche rapide les lundis et les mercredis, nageait dans la piscine municipale les mardis et les jeudis. J'avais promis de lui acheter une bonne bicyclette, un modèle costaud qui ne la lâcherait pas au milieu du Tennessee ou du Kansas.

« Puis il y a eu l'accident, et tout a changé. Au début les docteurs ont dit : "Oh, c'est juste un léger choc, on ne va pas en faire toute une histoire." Mais cet accrochage a été le début de la fin. Bien sûr, il y avait des jours où elle était encore bien. Comme avant. Mais pendant deux ans, je l'ai souvent trouvée pleurant de douleur dans son lit. Quand elle a commencé à voir le Dr Bell, la douleur a disparu et elle a arrêté de pleurer. Mais les médicaments l'avaient complètement déséquilibrée – vidée au point de n'être plus qu'une coquille vide. Comme un zombie. Et un jour je l'ai retrouvée par terre. »

George fit un geste vers la cuisine.

Laurie connaissait l'essentiel du contenu de la plainte, mais elle entendait pour la première fois George décrire de vive voix le handicap de sa mère. « Comme un zombie. » Cette phrase était inscrite dans sa plainte, et c'était exactement l'expression qu'avait utilisée Caroline Radcliffe pour décrire Kendra à la fin de sa vie avec Martin. « Déséquilibrée. Une coquille vide. » George aurait aussi bien pu être en train de parler de Kendra.

Pourquoi n'y avait-elle pas pensé plus tôt ? Elle vérifierait plus tard ses soupçons. Pour l'instant, elle devait se concentrer.

« Vous avez pensé que le Dr Bell était responsable de la mort de votre mère, n'est-ce pas ? demanda Ryan.

– Naturellement. »

Tandis que Ryan repassait avec George le moment de sa prise de bec avec Martin dans son cabinet, Laurie observait le visage de George sur l'écran, se demandant quelle information il finirait par leur fournir.

Ryan continuait de le relancer pour obtenir des détails. « La police vous a conseillé de ne pas retourner le voir.

– Et j'ai pris ça au sérieux. Je n'ai plus jamais remis les pieds dans son cabinet. »

Laurie vit un éclair briller dans les yeux de Ryan, et elle en comprit aussitôt la raison. Il avait utilisé exactement les mêmes mots la dernière fois qu'ils l'avaient interrogé. « Je n'ai plus jamais remis les pieds dans son cabinet. »

– Mais vous ne l'avez pas laissé tranquille pour autant, n'est-ce pas ? demanda Ryan.

– Je ne m'approchais jamais de lui. Je ne lui ai jamais parlé. Rien de tout ça.

– Mais vous le suiviez, c'est ça ? »

George se prit la tête entre les mains. « C'était plus fort que moi. J'étais incapable de penser à autre chose, le voir en chair et en os m'aidait d'une certaine manière. Tant que je le surveillais, il ne pouvait faire de mal à personne d'autre.

– Étiez-vous en train de le surveiller le soir où il a été tué ? » demanda Ryan. Toute l'équipe retint son souffle.

« Non, dit-il enfin. J'étais à la maison.

– Seul ? »

Il hocha la tête.

« Personne ne peut donc témoigner pour vous. Vous n'avez pas d'alibi. »

George fixa ses pieds.

« Regardons les choses en face, George, continua Ryan. Vous n'avez pas d'alibi. Vous êtes connu pour vos obsessions envers des gens que vous accusez des malheurs de votre mère. Vous suiviez et épiiez le Dr Bell. Et vous possédez exactement la même arme que celle utilisée pour le tuer…

— Je voulais bien faire », répliqua vivement George, l'interrompant. « Oui, je considère le Dr Bell comme responsable de la mort de ma mère, mais je ne suis pas un meurtrier. Je sais que tout ça peut me valoir des ennuis. C'est pourquoi je n'ai jamais raconté ce que j'ai vu.

— Qu'avez-vous vu, George ?

— C'était un soir, environ une semaine avant le meurtre, dans Manhattan, à Greenwich Village. Je suivais le Dr Bell quand il est monté dans un taxi. Une femme l'attendait, assise sur la banquette arrière, et il l'a embrassée. Je sais que j'aurais dû le raconter avant, mais j'avais peur qu'on me soupçonne. Je me sentais tellement coupable !

— Qui était cette femme ? demanda Ryan, ignorant le ton implorant de George.

— Je ne sais pas. Il faisait trop sombre pour que je la reconnaisse. » Sa voix tremblait : « J'ai pensé que c'était sa femme, mais après le meurtre tout le monde disait qu'ils ne s'entendaient pas. Alors, vous savez, il s'agissait peut-être d'une autre femme. »

Laurie et Ryan avaient beau avoir envisagé tous les scénarios possibles, ce dernier ne les avait pas effleurés. Ryan poursuivit son interrogatoire, posa les questions habituelles – longueur des cheveux ? couleur des cheveux ? âge ? George ne put fournir aucun autre détail.

« Pourquoi devrions-nous vous croire après toutes ces années ? demanda Ryan, sceptique.

– Parce que si je mentais, j'aurais inventé des réponses à toutes les questions que vous m'avez posées. Écoutez, je ne peux même pas jurer que c'était une femme, à l'arrière de ce taxi. J'ai juste vu un baiser. Pour être franc, ça m'a rendu furieux que quelqu'un puisse l'embrasser. » Il détourna tristement les yeux. « Et je sais que j'ai l'air pathétique, c'est une raison de plus pour qu'on me croie. Je vous jure… je dis la vérité. »

Ryan lança un coup d'œil en direction de Laurie. Elle hocha la tête. C'était le moment de mettre fin à l'interview.

47

TANDIS QUE l'équipe de tournage chargeait le matériel dans le camion, Ryan prit Laurie à part. « J'aimerais vous parler quelques minutes dans la voiture », dit-il en jetant un regard vers la maison de George.

Il s'installa sur le siège du passager. « Je le crois », annonça-t-il.

Laurie réfléchit un moment. « Il est impossible qu'il ait su que Kendra accusait Martin de la tromper. Les journaux n'en ont jamais parlé.

— Vous croyez que c'était Kendra qu'il embrassait ?

— J'en doute, dit Laurie. D'après la rumeur, ils étaient en très mauvais termes. Après tout, les soupçons de Kendra étaient peut-être justifiés, mais ils se portaient sur une femme qui n'était pas la bonne.

— Dans ce cas, il va falloir chercher une autre femme, avec un mari jaloux par-dessus le marché ? Bon courage ! »

Autant chercher une aiguille dans une botte de foin. À

l'homme mystérieux des Petits Truands s'ajoutait maintenant la femme mystérieuse du taxi.

Si Martin avait une liaison avec une autre femme, Kendra avait une raison supplémentaire de tuer son mari. Non seulement il avait envisagé de la quitter, mais il avait déjà une remplaçante en coulisses. Par ailleurs, une liaison permettait d'envisager d'autres suspects – la maîtresse non identifiée, et peut-être un mari jaloux.

Laurie devait se rappeler qu'ils n'étaient pas toujours capables de résoudre une affaire. Ils faisaient seulement avancer les choses, ne serait-ce qu'en déterrant de nouvelles informations.

Au moins, une nouvelle pièce du puzzle se mettait-elle en place. « Je pensais à ce qu'a dit George de l'humeur de sa mère avant son décès, dit-elle. Je crois avoir compris pourquoi Kendra était dans cet état le soir du meurtre. »

Après qu'elle lui eut exposé sa théorie, Ryan déclara qu'il en tiendrait compte dans le contre-interrogatoire de Kendra lorsqu'elle viendrait sur le plateau du tournage.

Laurie secoua la tête. « Je ne trouve pas correct de lui tendre un piège à la télévision.

– N'est-ce pas ce que nous faisons toujours ? dit Ryan. Nous n'avons pas à prendre de gants. C'est notre suspect numéro un.

– C'est une affaire qui touche à sa santé. C'est différent. Je lui en parlerai en tête à tête. »

Elle s'attendait à ce qu'il proteste, mais il leva la main en signe de reddition.

On frappa un petit coup à la fenêtre de la voiture, et elle aperçut son père. Elle ouvrit la portière à demi. « Merci d'être venu, papa. Si tu continues à m'aider, je vais devoir t'ajouter sur le budget de l'émission.

– Et c'est à toi que je devrai obéir ou à Brett Young ? » Il feignit de frissonner. « Considère-moi comme un travailleur indépendant. »

Laurie regarda sa montre. Il était quatre heures. « Je peux te demander encore quelque chose ? » Elle expliqua que Timmy avait son cours de trompette jusqu'à cinq heures, et qu'elle rentrerait peut-être en retard.

« Ne t'en fais pas », dit-il.

Avec un peu de chance, elle trouverait Kendra chez elle.

48

SENSIBLE malgré tout au conseil de Ryan, Laurie avait décidé de ne pas ménager Kendra et de ne pas la prévenir de sa venue. Une petite visite hors caméras semblait être un compromis raisonnable.

Postée à l'extérieur de la maison, elle l'observa un instant par la fenêtre du séjour jouer avec ses enfants. Leurs gestes gauches et saccadés ressemblaient à un étrange numéro de danse, mais Laurie reconnut aussitôt les mouvements de bras et les pirouettes d'une partie de bowling sur une console vidéo. Elle-même avait perdu plus souvent qu'à son tour quand elle y jouait avec Timmy.

Elle hésita soudain à interrompre ce qui était visiblement une soirée en famille. Sa conversation avec Kendra pouvait attendre jusqu'au lendemain. Elle n'allait pas s'enfuir pour se soustraire à l'action de la justice cinq ans après.

Elle s'apprêtait à héler un taxi sur la Sixième Avenue

quand elle entendit des voix derrière elle. Elle se retourna et vit Kendra sur le perron de sa maison, qui disait au revoir à ses enfants : « Je serai de retour pour vous embrasser avant que vous dormiez. » Caroline était debout dans l'embrasure de la porte, derrière Bobby et Mindy.

Au moment où Kendra descendait les marches, Laurie distingua vaguement qu'elle portait un grand sac sur la hanche. Et si c'était le fourre-tout de cuir qu'on lui avait volé ?

Elle baissa la tête, feignant de consulter son téléphone comme n'importe quel piéton, mais resta aux aguets et vit Kendra se diriger en hâte dans la direction opposée, vers la Cinquième Avenue.

Laurie décida de la suivre.

49

SON SAC en bandoulière, Kendra marchait d'un pas vif, les mains enfouies dans les poches de son cardigan gris anthracite. Un modèle Escada, en cachemire, ceinturé et muni d'un col châle. Long, descendant presque aux genoux. C'était le premier cadeau de Noël de Martin, quand elle était encore à l'école de médecine. Depuis, il était resté son vêtement préféré, il l'enveloppait comme un cocon. Confortable et protecteur. Une illusion, bien sûr. Rien – et évidemment pas un vêtement – ne pouvait la protéger de l'homme qu'elle était censée rencontrer ce soir.

Cela faisait plus d'une semaine qu'elle lui avait parlé de l'émission. Elle lui avait promis de ne pas souffler mot de son existence. Mais naturellement, cela ne lui avait pas suffi. Il avait voulu davantage, parce qu'il savait qu'il le pouvait.

Elle avait mis l'argent de côté depuis des jours. Puis, prise d'appréhension pendant le week-end, elle avait enfreint la règle et l'avait appelé pour convenir d'un rendez-vous, mais le numéro qu'il lui avait donné n'était plus en service.

Puis aujourd'hui, à l'heure du déjeuner, son portable avait sonné. Un numéro masqué. L'estomac noué, elle avait décroché. C'était lui. « Retrouvez-moi au coin de Greene et de Houston. Au coin nord-est, sous l'échafaudage. Apportez comme d'habitude. »

En d'autres mots, le fric.

En approchant du croisement, elle comprit pourquoi il avait choisi cet endroit. Des promoteurs avaient démoli un bloc entier pour construire un nouvel immeuble qui n'était pas encore sorti de terre. Le site était entouré de clôtures métalliques, et des échafaudages recouvraient ce qui avait été le trottoir. Aucun piéton normal n'aurait choisi de s'aventurer dans ce passage obscur, abandonné. Mais elle n'avait pas le choix.

Il l'attendait, une capuche enfoncée sur sa tête qu'elle présumait rasée. Comme il était différent de l'homme qui buvait des verres avec elle au bar des Petits Truands – du temps où il était « Mike » et l'écoutait d'une oreille compatissante.

« L'émission, dit-il abruptement. Où en sont-ils ?

– Ils n'en savent pas plus que ce que savait la police il y a cinq ans. Moins, en fait, à mon avis.

– N'oubliez pas ce que je vous ai dit. Ce qui est en jeu. Je n'hésiterai pas à m'en prendre à Bobby et à Mindy, s'il le faut. »

Elle frissonna sous son chaud cardigan et hoqueta. « Ne faites pas ça, je vous en supplie. Je vous le jure, vous pouvez être tranquille.

– Reprenez-vous », siffla-t-il en s'emparant brutalement de la sacoche dont elle essayait maladroitement de se dépêtrer.

Il lui tendit alors un bout de papier sur lequel était griffonné un numéro à dix chiffres. « Le nouveau numéro prépayé. Appelez-moi quand l'émission sera prête… et s'ils vous ont réservé des surprises, ne me cachez rien.

– Vous avez ma parole. »

Kendra s'éloigna le cœur serré. Elle se sentait complètement impuissante. Jamais elle ne se débarrasserait de lui. Jamais.

50

LAURIE l'attendait devant l'entrée. Elle avait tout vu. Kendra sursauta en l'apercevant. « Que faites-vous ici ?

— Il s'est passé quelque chose aujourd'hui durant l'interrogatoire d'un de nos témoins. Je voulais vous en parler en personne.

— Vous ne pouviez pas me prévenir avant de débarquer ? demanda Kendra.

— À la vérité, je n'avais pas envie de vous donner le temps d'échafauder un mensonge. Nous avons même envisagé de venir avec les caméras, mais cela nous a semblé inutile. »

Kendra porta une main à sa bouche. « De quoi s'agit-il ?

— De votre comportement après la naissance des enfants. Ce n'était pas simplement une dépression post-partum, n'est-ce pas ? Vous étiez droguée. Vous preniez des médicaments que Martin vous prescrivait. » L'idée avait germé dans l'esprit de Laurie quand George avait décrit l'état de sa mère avant son overdose. « Vous avez dit qu'il vous avait forcée à continuer. Vous le confirmez, n'est-ce pas ? »

Kendra acquiesça, serrant les lèvres pour garder son calme.

« Mais un beau jour il a arrêté, dit Laurie. Des plaintes avaient été déposées, et il savait que la justice contrôlait ses ordonnances. Il ne pouvait plus distribuer ces prétendus médicaments comme des bonbons. »

Kendra regarda vers la porte d'entrée d'un air paniqué mais la maison était silencieuse. Elles étaient seules. « J'ai réellement fait une dépression post-partum, comme je vous l'ai dit. Mais Martin s'en moquait. Il me demandait de me ressaisir. Il disait qu'il n'était pas normal d'être si déprimée alors que je devais m'occuper des enfants. Au lieu de m'orienter vers un spécialiste, il a déclaré qu'il pouvait me soigner lui-même. J'étais ignorante, je lui faisais simplement confiance. Après tout, il était le docteur Miracle. Les jours défilaient, et je ne savais même plus comment je m'appelais. C'était Caroline qui m'aidait à combler mes trous de mémoire. Puis soudain, il ne m'a plus rien donné. J'ai fait le rapprochement en apprenant l'existence des actions en justice après sa mort. Mais à l'époque, il ne m'a rien expliqué. Il se contentait de crier que j'étais une toxico, une camée.

– Ce que vous étiez, dit Laurie. Ce en quoi il vous avait transformée. »

Elle hocha à nouveau la tête, grimaçant à ce souvenir. « Je vous en prie, n'en parlez à personne. Je suis clean à présent. Si les Bell l'apprenaient… » Elle blêmit.

Et dire que je croyais avoir tout compris, songeait Laurie. « Alors, vous ne dépensiez pas cet argent en chaussures et autres frivolités, mais vous n'étiez pas non plus à la recherche d'un tueur à gages. Vous achetiez de la drogue à des dealers pour satisfaire votre addiction.

– Vous comprenez pourquoi je ne pouvais pas révéler cela à la police ? Je n'avais aucun moyen de le prouver, et je savais que les parents de Martin essayeraient de m'enlever mes enfants. J'ai fait tout ce qu'il fallait après la mort de Martin. Je suis complètement sobre. Je travaille dur et je suis une bonne mère.

– Ce qui m'échappe, Kendra, c'est pourquoi vous continuez à accumuler de grosses sommes d'argent liquide. »

Caroline avait dû avouer à Kendra qu'elle avait révélé cette information, car elle ne parut pas surprise par la question. « La plus grande partie de l'argent dont je dispose provient d'un trust familial. Je garde certaines sommes en liquide afin que les exécuteurs testamentaires – et mes beaux-parents – ne contrôlent pas chaque dollar que je dépense.

– Alors qui est cet homme à qui vous avez remis un sac à l'angle de Greene et de Houston ? »

Kendra chancela comme si elle avait reçu un coup de poing dans l'estomac. Elle se prit la tête à deux mains et se mit à balbutier : « Non, non, non, non. » Un instant, Laurie pensa qu'elle était entrée en transe.

« Kendra, je suis convaincue que vous avez changé, mais je suis certaine aussi que vous avez commis une grave erreur quand vous n'aviez pas toutes vos facultés. Je peux faire mon possible pour vous aider, mais je ne peux pas tout garder pour moi. » Kendra lui lança un regard implorant, mais Laurie continua à lui opposer la réalité de la situation : « Si vous ne m'avouez pas la vérité, je me verrai contrainte de dire à l'antenne ce que j'ai vu ce soir. Je devrai aussi en informer la police. Ils feront des rapprochements, penseront que vous avez engagé un tueur pour liquider votre mari. Voilà ce qui se passera.

– Je vous en prie, murmura Kendra. Ne m'obligez pas à faire ça. Je ne peux pas. Il va les tuer. Ce sont de petits enfants innocents. »

Laurie tendit une main hésitante et la posa doucement sur l'épaule de Kendra, tentant de la calmer. « Qui donc ? De qui parlez-vous ?

– Bobby et Mindy », dit-elle, les larmes commençant à couler sur ses joues. « Cet homme. Cet homme abominable. Il a dit qu'il… s'en prendrait à mes enfants si j'en parlais à quelqu'un. »

Laurie fut aussitôt sur le qui-vive. « Kendra, cela n'arrivera pas. Nous avons les moyens de l'en empêcher. Mais ne restons pas dans la rue. »

Kendra, visiblement aux abois, lançait des regards terrorisés autour d'elle. Elle passa devant Laurie et gagna la porte du garage. Elle pianota un code et la porte se leva lentement. Il n'y avait pas de véhicule à l'intérieur, seulement des piles de cartons. « Suivez-moi. »

Une fois à l'intérieur, elle regarda Laurie en face. « Vous devez me croire. Je ne sais absolument pas qui a tué Martin. »

51

ENDRA pressa ses paumes sur ses yeux, s'efforçant de contenir ses larmes une fois de plus,
anéantie. Pourquoi avait-elle accepté de participer à cette
émission ? Les Bell continueraient à la haïr et à lui mettre
des bâtons dans les roues, quoi qu'elle fasse. Pourquoi
avait-elle cédé ?

Son pire cauchemar était sur le point de se réaliser.
Laurie Moran les avait vus ensemble, elle et cet homme,
de ses propres yeux. Kendra en était réduite à faire appel
à sa compréhension de mère élevant seule son enfant. Ce
secret, elle ne l'avait jamais partagé avec personne.

« Vous m'avez déjà demandé si j'avais lié connaissance
avec des gens dans les bars à cette époque, dit Kendra. Je
sais où vous vouliez en venir.

– Le bar des Petits Truands, dit Laurie. Deb, la barmaid. Elle se souvient de vous avec beaucoup de sym-
pathie. »

Kendra sourit, nostalgique. « Une vraie dure, celle-là. J'ai commencé à y aller pour m'échapper un peu de la maison et, pendant un certain temps, c'est devenu une sorte d'habitude. Ils ne m'accueillaient pas en hurlant mon nom quand j'entrais mais... »

Laurie hocha la tête d'un air compréhensif.

« De toute façon, je mélangeais alcool et médicaments, et j'étais sûrement devenue une épave. Je me souviens de ma gêne quand des clients changeaient de table pour s'éloigner de moi. » Kendra se frotta les yeux. Par le passé, au cours des réunions des Alcooliques Anonymes, elle avait brièvement évoqué ses moments les plus sombres, mais en parler à une parfaite étrangère était plus difficile qu'elle ne l'aurait cru. « Un jour, un type a semblé avoir un peu de compassion pour moi. Ou peut-être ai-je pensé que c'était un autre ivrogne, capable d'écouter mes histoires pendant toute une soirée.

– Qui est cet homme ? » demanda Laurie.

Kendra secoua la tête, espérant que Laurie la croirait. Elle n'avait qu'un souvenir vague de cette époque. Comment pourrait-elle convaincre quelqu'un d'une vérité qu'elle-même avait du mal à comprendre ? « Je n'en ai pas la moindre idée. Je pense qu'il s'est mis à me parler un soir, quand j'étais seule au bar. Une fois partie dans mes récriminations contre Martin, je n'ai pas pu m'arrêter. Il m'a laissée déverser ma rancœur, raconter à quel point mon mari me rendait malheureuse. Il m'encourageait et prétendait me servir de conseiller bénévole. Mais c'était un escroc, et j'étais sa proie. Et je le suis toujours, comme vous avez pu le constater. »

Elle comprit, en voyant la perplexité se peindre sur le visage de Laurie, qu'elle n'y comprenait rien.

« Vous ne l'avez pas embauché pour… ? fit cette dernière.

– Non ! »

Le cri lui avait échappé et résonna sur les murs de ciment du garage. Après l'assassinat de Martin au volant de sa voiture, elle en avait fait don à une association caritative et n'en avait jamais racheté. « Pardonnez-moi, mais j'ai moi-même mis du temps à voir clair dans son jeu. Une semaine environ après la mort de Martin – quand la presse à scandale ne parlait que de moi –, il m'attendait devant l'école de Bobby à la sortie des classes. Il a sorti de sa poche un petit enregistreur et l'a mis en marche. Je n'ai pas reconnu ma voix au début, pourtant c'était bien la mienne. Il avait fait un montage de plusieurs extraits de nos conversations.

– Qu'il avait enregistrées au bar, dit Laurie. Vos griefs contre Martin. »

Kendra hocha la tête. « Il n'y avait pas de quoi être fière, c'est vrai, mais après la mort de Martin, ce que j'avais dit paraissait plus horrible encore. Il m'a fait comprendre qu'il serait "vraiment dommage" que la police ou mes beaux-parents en aient connaissance. Il exigeait de l'argent en échange de son silence. »

Sa voix de l'époque, ralentie, pâteuse, résonnait dans sa tête. « Je veux me barrer ! Quand mon père est mort d'une crise cardiaque, il n'était pas beaucoup plus âgé que lui. Ça pourrait lui arriver. » Et faisait écho à ce qu'elle avait dit à Caroline la nuit du meurtre de Martin : « Je suis donc enfin débarrassée de lui. »

« Il vous fait chanter depuis tout ce temps ?

– Pas régulièrement. Dans ce cas, il aurait été très facile de lui tendre un piège. Il lui est arrivé de disparaître pendant presque un an, mais il réapparaît toujours. Il sait que je continuerai à payer. Il a menacé de me dénoncer – ou de s'en prendre à mes enfants – si j'acceptais de participer à votre émission. J'ai réussi à le convaincre qu'il était de son intérêt que j'y apparaisse. Je pense qu'il est assez malin pour comprendre que si je perdais mes enfants, je ne toucherais plus le moindre centime de mon trust, et qu'alors je ne lui servirais plus à rien. » Sa voix trahissait de l'amertume et de la colère : « Je lui ai juré que je ne révélerais jamais son existence – ni à la police, ni à vous. Et maintenant voilà où nous en sommes. »

Kendra questionna anxieusement Laurie du regard. Qu'allait-elle faire de sa révélation ?

« N'avez-vous jamais envisagé que ce maître chanteur puisse être l'assassin de Martin ?

– Au début, si. Et j'étais prête à aller trouver la police, au risque d'être arrêtée moi aussi. Mais il m'a dit qu'il avait fait ces enregistrements dans le but de les vendre à Martin. Dans ma confusion, j'avais dû lui confier qu'il voulait me quitter et avoir la garde des enfants, et il était persuadé que Martin serait prêt à verser une grosse somme pour arriver à ses fins. Avec la mort de mon mari, ce projet a tourné court, et maintenant c'est moi qui dois le payer.

– Et vous l'avez cru ? demanda Laurie.

– Oui, certainement », répondit Kendra d'une voix forte et assurée.

Pourtant, combien de fois s'était-elle interrogée ? Elle n'était plus elle-même à cette époque, mais une femme désespérée, plongée dans les brumes de la drogue. En réalité, elle n'arrivait même pas à se rappeler les conversations que l'homme avait enregistrées au bar des Petits Truands. La vie avec Martin l'avait menée au bord de la folie. Pouvait-elle avoir fait germer l'idée du crime dans le cerveau de ce dangereux inconnu ? L'avait-elle payé pour appuyer sur la détente ? Encore aujourd'hui, elle ne pouvait jurer qu'elle n'avait rien à se reprocher.

Laurie avait le regard flou, comme si elle avait du mal à rassembler tant d'informations différentes. « Il est possible qu'il m'ait suivie moi aussi, dit-elle. Quelqu'un a volé mon sac avec ma serviette et mes notes dans la soirée de lundi. »

Kendra secoua la tête. « Bon, c'est possible. Il a toujours un coup d'avance sur moi, mais il ne m'en a pas parlé ce soir. Il voulait savoir où vous en étiez de votre enquête et il a insisté pour que je le tienne au courant.

– Vous ne savez vraiment pas qui est cet homme ? »

Cette fois, Kendra pouvait lui dire la pure vérité. « Pas du tout. Il m'appelle avec des numéros masqués et vient aux rendez-vous à pied, si bien que je n'ai même pas de numéro de plaque minéralogique pour le retrouver. Tout ce que j'ai, c'est un numéro de téléphone prépayé et ça. »

Elle sortit son téléphone de la poche arrière de son jean et fit apparaître une photo sur l'écran. Elle l'avait si souvent regardée ! Elle était légèrement floue, car elle n'avait pas pu utiliser de flash, mais elle s'était servie d'un logiciel d'amélioration pour augmenter la netteté et l'éclairage. Ce n'était pas une photo de magazine, mais quiconque connaissait cet homme le reconnaîtrait aisément. « J'ai fait semblant de consulter mes messages en me rendant à un de nos rendez-vous. La photo est floue parce que je tremblais de peur à l'idée qu'il me surprenne. »

Laurie regarda l'écran. La photo n'était pas mauvaise, étant donné les circonstances.

« Vous pouvez me l'envoyer ? demanda-t-elle.

– J'ai votre adresse e-mail », dit Kendra en transférant aussitôt la photo.

« Et maintenant ? » demanda-t-elle.

Laurie resta un instant silencieuse, inspectant le garage autour d'elle, comme à la recherche d'une réponse. « Je ne sais pas.

– Mais vous me croyez ? »

Laurie ouvrit la bouche, mais ne répondit pas tout de suite. « Nous finirons par trouver, dit-elle enfin. En attendant, soyez prudente. »

En regardant Laurie se diriger vers la Sixième Avenue, Kendra sentit naître un fol espoir. Quelqu'un sur terre la croyait peut-être innocente – pas de tout, mais au moins du meurtre de son mari.

52

Après avoir quitté Kendra, Laurie était rentrée chez elle à temps pour avaler un morceau avec Timmy et Leo et téléphoner à Alex pour lui dire bonsoir. Quelques mois plus tôt, elle avait hésité à mêler sa vie à la sienne. Maintenant, elle était impatiente qu'ils vivent sous le même toit. Elle voulait le voir matin et soir.

Elle travaillait à son bureau le lendemain quand Grace l'appela sur la ligne intérieure.

« Désolée, Laurie, mais Dana vient d'appeler. Brett Young s'apprête à débarquer dans ton bureau, il veut te voir. Oh, le voilà ! »

Elle n'avait pas raccroché qu'on frappait à la porte.

« Entrez ! » cria Laurie, s'efforçant de dissimuler l'inquiétude qui lui nouait l'estomac. Était-ce à propos des factures de son nouveau portable et de son nouvel ordinateur ? Elle se prépara à affronter une discussion sur la nature de ces remplacements, sur la question de savoir s'il s'agissait de dépenses personnelles ou professionnelles.

Elle plaqua un sourire sur son visage... et retint un cri en voyant Alex pénétrer dans la pièce. À côté, Grace riait aux éclats.

Laurie se leva d'un bond et courut embrasser son fiancé. Il la serra dans ses bras. « Quelle merveilleuse surprise, dit-elle.

– J'étais dans le quartier et soudain j'ai eu envie de te voir. Depuis que cet homme t'a agressée, je suis affreusement inquiet. Si quelque chose t'arrivait... »

Il ne termina pas sa phrase.

« Ne vous tourmentez pas, Votre Honneur. Tout va bien. »

Ils se dirigèrent vers la table de réunion. Quand elle fut assise dans un fauteuil, il se mit à lui masser les épaules.

« Pour quelqu'un qui va bien, tu es tendue comme un arc, dit-il en accentuant ses mouvements.

– Ne t'inquiète pas. Je t'assure que ça va. »

Elle fit des mouvements circulaires avec sa tête, sentant les premiers effets apaisants du massage. « C'est ton dernier jour de liberté avant que madame le juge en chef commence à t'attribuer des affaires. Tu fais quelque chose de spécial ?

– Oui, je te rends visite. À propos, c'est seulement mon dernier jour ouvré avant les audiences, corrigea-t-il. Je n'ai pas d'affaires à traiter avant lundi, et nous ne sommes que vendredi.

— Tu emmènes tout de même tes greffiers au Yankee Stadium demain ? »

En tant que juge fédéral, Alex allait employer deux jeunes diplômés de l'école de droit comme greffiers. Jusqu'à l'automne, il travaillerait avec ceux de son prédécesseur, qui avait décidé de prendre sa retraite à l'occasion de son quatre-vingtième anniversaire. Laurie les avait brièvement rencontrés. Samantha était diplômée de Yale, et Harvey de Stanford. Ils étaient tous deux vifs, enthousiastes, et agréablement surpris de travailler pour un boss qui leur offrait des places premium au Yankee Stadium pour marquer le début de leur collaboration. « Habitue-toi à les entendre t'appeler Votre Honneur. »

Le titre ne sembla pas déplaire à Alex.

« Tu tiens le coup ? demanda-t-il. Hier soir, tu ne savais pas quoi faire des nouvelles informations concernant Kendra. J'ai dû me retenir d'appeler la police quand tu m'as tout raconté. C'est sans doute ce même type qui t'a agressée.

— C'est possible, dit Laurie, se tournant vers lui. Mais nous ne savons même pas qui c'est, alors quel intérêt ? Cet homme est visiblement un élément crucial de l'affaire, seulement à quoi bon ? Je n'ai aucun moyen de l'identifier. Je pourrais publier sa photo et lancer un appel à témoins, mais il saurait aussitôt que Kendra m'a informée, et il a proféré des menaces contre ses enfants. Je ne veux pas avoir un drame de ce genre sur la conscience.

– Bien sûr. Mais tu pourrais montrer la photo à la police. C'est probablement ce qu'il y a de plus sûr. »

Laurie avait beau apprécier que Ryan ait changé d'attitude avec elle, les conseils d'Alex lui manquaient toujours autant. Après une bonne séance de brain-storming avec lui, elle se sentait toujours mieux.

« Je suis tentée de le faire, mais que leur dire ? Je ne sais pas qui est cet homme, ni même ce qu'il a fait. Selon Kendra, il n'est pas l'assassin de Martin, bien que cela semble difficile à croire. D'un autre côté, je ne peux pas prouver qu'elle l'a engagé. Et je ne sais pas davantage si c'est lui qui m'a agressée lundi. Quoi que je fasse, je me heurte à un mur. Il y a quelque chose qui cloche. Je n'arrive pas à avoir une vue d'ensemble, je m'en rends bien compte. »

Alex cessa brusquement de la masser. « Ne me dis pas que vous travaillez avec Joe Brenner ? Ce pourri n'est quand même pas parvenu à s'introduire dans votre équipe ? Rassure-moi, Brett Young ne l'a pas engagé ? Je le verrais bien se laisser embobiner par un type de ce genre. »

Laurie fit pivoter son fauteuil. « Mais de quoi tu parles ?

– De lui », dit-il, prenant une photo sur la table. C'était un tirage du cliché que Kendra avait envoyé à Laurie la veille. « Joe Brenner. Un minable. A-t-il persuadé Brett de le prendre comme enquêteur ? Dans ce cas, il faut que tu te débarrasses de lui. J'en parlerai moi-même à Brett si nécessaire. »

« Alex, tu connais ce type ? C'est lui qui fait chanter Kendra. »

Alex se pencha sur la photo. « Aucun doute, c'est lui. » Il s'empara de l'ordinateur de Laurie, pianota rapidement sur le clavier, et tourna l'écran vers elle. Elle vit une photo du même homme, vêtu d'une chemise noire à col ouvert et d'une veste noire. Il avait la tête rasée. Ses yeux étroits laissaient filtrer un regard froid. « Un regard mauvais », comme l'avait dit la barmaid des Petits Truands.

La légende qui accompagnait le portrait disait : « Joe Brenner, propriétaire de la société privée New York Capital Investigations : 25 ans d'expérience dans la conduite d'enquêtes discrètes et efficaces. »

Laurie ne savait plus quoi penser. Pourquoi un détective privé ferait-il chanter Kendra ? Était-ce le cas ? Kendra pouvait très bien lui avoir menti. Elle avait peut-être payé Brenner pour qu'il vole son ordinateur et ses notes.

« Comment tu le connais ?

– Je ne le connais pas personnellement. Mais il y a une quinzaine d'années, je travaillais sur une affaire d'association de malfaiteurs. L'avocat d'un des accusés avait engagé Brenner comme enquêteur. Quand il est venu à la barre, il m'a semblé qu'il exagérait largement la portée de la preuve qu'il prétendait avoir trouvée pour innocenter son client. À un moment, j'ai même pensé qu'il se parjurait. Je n'ai pas pu le prouver et, en dépit de son témoignage, tous les accusés ont été condamnés. Mais je suis allé interroger l'avocat qui l'avait engagé. Il m'a répondu que parfois ses clients étaient – je le cite – décidés à payer un peu plus un enquêteur prêt à se mouiller.

– Tu penses qu'il a menti à la barre pour toucher davantage ? »

Les pensées de Laurie s'entrechoquaient si vite dans sa tête qu'elle n'arrivait pas à les suivre. L'inconnu qui avait abordé Kendra dans un bar, un détective privé à la réputation douteuse qui avait enregistré leurs conversations ? La coïncidence était incroyable. Elle se rappela que Martin Bell voulait quitter Kendra et obtenir la garde des enfants. Peut-être était-ce lui qui avait engagé Brenner pour la faire parler et réunir des preuves attestant qu'elle n'avait plus toutes ses facultés. Mais si le plan avait marché, pourquoi Martin n'avait-il pas demandé le divorce ? Et n'aurait-il pas, dans ce cas, averti ses parents ?

À moins que ces enregistrements n'aient jamais existé. Kendra avait pu tout inventer pour se protéger.

Chaque fois que Laurie avait le sentiment de toucher au but, la vérité lui glissait entre les doigts.

Alex contemplait la photo de Brenner, manifestement inquiet de retrouver cet homme dans l'orbite de Laurie. « Comme je te l'ai dit, je n'ai rien pu prouver. Mais j'avais assez de certitudes pour faire savoir dans le monde du barreau qu'il valait mieux l'éviter, et je n'étais pas le seul. Aucun avocat ne l'a plus jamais employé. C'était trop risqué. »

Déformer la vérité sous serment était une chose ; exécuter un contrat en était une autre. Les affaires de Brenner auraient-elles périclité au point qu'il avait franchi la ligne rouge et serait devenu tueur à gages ?

« Pourtant, il a toujours un site de détective privé », dit-elle en désignant la photo sur l'écran. Son visage – ces yeux sombres, menaçants – la faisait frissonner. « Apparemment, quelqu'un l'emploie encore.

– Et pourquoi pas ? dit sèchement Alex. Les gens pensent que les hommes de loi sont sans scrupules ? Il faut savoir que si Brenner est malhonnête, bien des politiciens sont encore pires.

– Il a des clients parmi les hommes politiques ?

– C'est ce que j'ai entendu dire. Pour les avocats, le risque est qu'il se fasse prendre à la barre en train de déguiser les faits. Mais si tu as besoin d'un type coriace qui n'a aucun scrupule pour dénicher des histoires compromettantes sur tes ennemis politiques, Brenner est l'homme qu'il te faut. Je ne serais pas étonné que ce type ait un abonnement pour le trajet Albany-New York. »

Grâce à ce simple nom, Albany, Laurie eut une illumination.

Elle saisit son téléphone et appela son père. Elle lui expliqua sa théorie tandis qu'Alex hochait la tête. Elle

demanda enfin à Leo s'il pouvait obtenir un dernier ren-
seignement de son informateur au bureau de la police de
New York.

« Je vais voir ce que je peux faire », répondit-il.

53

ROIS HEURES plus tard, Laurie était en tête à tête avec Daniel Longfellow dans son appartement de l'Upper West Side. Lorsqu'il lui eut expliqué que Leigh Ann était encore à son bureau et que les chiens avaient été confiés à un gardien pour la journée, elle prit le temps de le remercier d'avoir trouvé un moment pour la recevoir.

« Pour parler franchement, Laurie, vous ne m'avez pas laissé le choix. Vous savez à quel point ma femme et moi tenions à ce que nos noms n'apparaissent pas dans votre émission. Je pensais que vous aviez compris que nous ne pourrions pas y participer. »

Préférant se montrer directe, Laurie posa sur la table basse du salon la photo de Joe Brenner. « Je crois que vous connaissez cet homme », dit-elle.

L'expression de Longfellow lui confirma aussitôt qu'elle avait vu juste. Une crapule aurait réussi à dissimuler qu'il connaissait le lien existant entre Joe Brenner et Kendra

Bell. Mais Daniel Longfellow n'était pas un menteur accompli. Elle n'aurait aucun mal à lui faire avouer la vérité.

« Où avez-vous eu cette photo ? demanda-t-il.

— On ne peut pas dire qu'il se cache, dit-elle. Il est pratiquement le centre de notre enquête. Et nous savons que vous êtes en rapport avec lui. »

Elle laissa le silence envahir la pièce. À le voir mordre sa lèvre inférieure, ses doutes s'évanouirent. Longfellow connaissait Joe Brenner.

Laurie décida de frapper au hasard. « Et dire que toutes ces années, Kendra a cru que le sort s'acharnait contre elle. Elle s'est confiée à un inconnu dans un bar, lui a dit que son mariage était un désastre et, manque de chance, l'homme a enregistré toute son histoire et a attendu que son mari soit assassiné pour la faire chanter. Elle n'a jamais fait le rapprochement. Jamais envisagé que cet individu puisse être le tueur jusqu'au jour où je le lui ai suggéré. »

Longfellow tentait de garder l'air détaché d'un homme qui n'éprouve pas grand intérêt pour le sujet. « Madame Moran, j'admire votre travail, mais je crains d'être obligé de mettre fin à notre entretien.

— Je vous en prie, dit Laurie. Écoutez-moi jusqu'au bout, à moins que vous ne préfériez que j'en parle à nos téléspectateurs ? Vous ne trouvez pas que la coïncidence est un peu grosse ? Que Kendra se soit justement confiée à un futur maître chanteur ? On peut même penser que l'assassinat de son mari a été le premier acte d'une machination pour la faire chanter. »

Elle s'interrompit, étudiant Longfellow. Un homme sans lien avec l'individu de la photographie aurait paru perplexe. Longfellow n'avait pas l'air dérouté le moins du monde.

« Cet homme, poursuivit-elle, est un détective privé, Joe Brenner. Brenner n'a jamais été un inconnu de passage au bar que Kendra fréquentait, n'est-ce pas ? »

Daniel porta la main à sa bouche, comme s'il se représentait soudain avec effroi une série de coïncidences dramatiques auxquelles il n'avait encore jamais réfléchi.

« Je suis fondamentalement un honnête homme, dit-il, le visage défait.

– Alors, c'est le moment de le prouver, dit Laurie. Les erreurs que vous avez pu commettre appartiennent au passé. Il est essentiel que vous me confiiez ce que vous savez. »

Le sénateur Longfellow avala difficilement sa salive, pesant visiblement les conséquences de la décision qu'il allait prendre. « Brenner est loin d'être un inconnu à Albany, murmura-t-il. Je l'ai engagé… il y a bientôt six ans. Nous nous étions éloignés l'un de l'autre, Leigh Ann et moi, sans même nous en apercevoir. Je m'efforçais de croire que nous étions simplement trop occupés par notre travail mais, à un certain moment, je me suis rendu compte que quelque chose s'était brisé entre nous. Je la soupçonnais de voir un autre homme. »

Longfellow était prêt à se confier. « C'est alors que vous avez engagé un détective pour confirmer vos soupçons », tenta Laurie.

Cela paraissait logique. Kendra n'avait pas été la seule à s'inquiéter des heures que Leigh Ann et Martin passaient ensemble. Brenner avait peut-être une réputation exécrable auprès des avocats new-yorkais, mais il était prêt à employer des méthodes discutables pour découvrir des secrets compromettants, et c'était vers cet individu que Longfellow s'était tourné dans un moment de jalousie.

Il hésita avant de répondre : « Ce n'était pas ainsi que je voyais les choses. Du moins, pas au début. J'ai cru qu'il me démontrerait que je me trompais. Il suivrait Leigh Ann en ville et me dirait que tout n'était qu'un effet de mon imagination. C'était un pari risqué, mais quelle satisfaction de voir un détective malhonnête vous annoncer que vous n'avez aucun souci à vous faire.

– Apparemment ça ne s'est pas passé ainsi, dit Laurie.

– On dit que la curiosité est un vilain défaut. Je n'ignorais pas que les méthodes de Brenner étaient contestables, mais je voulais connaître la vérité, c'était devenu une obsession. Et... » Il secoua la tête : « ... j'ai eu ce que je cherchais.

— Il vous a fourni la preuve que Leigh Ann était plus qu'une amie pour Martin Bell », dit Laurie.

Elle se souvint de George Naughten surprenant Martin Bell en train d'embrasser une femme dans un taxi. C'était Leigh Ann Longfellow, ce que Kendra Bell avait toujours soupçonné.

Daniel Longfellow essuya son visage en sueur. « La filature a confirmé mes pires craintes. Il avait même pris des photos. Je ne savais plus quoi faire. L'indécision m'a paralysé.

— Pourquoi ne l'avez-vous pas tout simplement quittée ?

— Parce que je n'en avais pas envie ! » Il lâcha ces mots du ton de l'évidence. Un amour véritable les unissait, ce que Laurie avait perçu le jour où elle les avait rencontrés. « Pourquoi aurais-je quitté Leigh Ann ? Elle était ma compagne, mon associée, la femme que j'avais aimée au premier regard. »

Le sénateur fixa le sol et passa nerveusement les doigts dans son abondante chevelure. Fermant les yeux, il secoua la tête. « À ce moment-là, si j'avais pu tout effacer d'un coup, je l'aurais fait. Car je savais que si je la mettais devant les preuves que j'avais réunies, notre couple n'y survivrait pas.

— Mais que faites-vous de ce proverbe : « Et la vérité vous libérera » ? demanda Laurie.

– Foutaises ! se moqua Longfellow. Réfléchissez : si j'avais confronté ma femme – *ma femme* – à des photos d'elle dans les bras d'un autre homme, elle aurait compris que je l'avais espionnée. Et, pire encore, elle aurait compris que je tenais toujours à elle, malgré cette liaison. Elle ne m'aurait plus jamais respecté. Tout ce que je voulais, c'est que cette aventure prenne fin. »

Laurie avait sa réponse. Son instinct lui disait que Longfellow n'était pas un mauvais homme. Qu'aurait-elle fait à sa place ?

La scène lui apparut comme si elle se déroulait devant ses yeux. « Alors vous avez dit à Brenner d'aller porter à Kendra les photos de Leigh Ann et de Martin. »

Longfellow eut l'air songeur. « Sur certaines des photos que Brenner m'a montrées, on ne distinguait pas le visage de Leigh Ann, mais l'homme était indéniablement Martin Bell. Je me suis dit que Kendra aurait plus de poids que moi pour faire cesser cette liaison. »

Laurie se figura Kendra cinq ans plus tôt – plongée dans la dépression, marquée par l'alcool et la drogue.

« Kendra n'avait aucun pouvoir, dit-elle.

– Bien sûr que si ! Elle et Martin avaient de jeunes enfants. J'ai présumé qu'elle exigerait que son mari mette fin à cette aventure s'il ne voulait pas perdre sa famille.

– Étrange façon de sauver son mariage ! »

Le sénateur rit doucement, conscient de l'ironie. « Je pensais qu'une fois l'aventure terminée, je pourrais m'efforcer de devenir un meilleur mari. Je quitterais l'Assemblée s'il le fallait, reviendrais à New York et travaillerais dans le privé. Je regagnerais le cœur de Leigh Ann coûte que coûte, et tout rentrerait dans l'ordre. Du moins, c'est ce que j'espérais.

— Et qu'est-il arrivé quand Brenner a mis Kendra au courant ? »

Le rire qui suivit était amer et inattendu. « D'abord, j'ai cru que mon plan avait marché. Brenner m'a téléphoné pour me prévenir qu'il avait rencontré Kendra dans un bar et que "tout était arrangé" – je le cite. Quelques minutes plus tard, c'était incroyable, j'ai reçu un appel du gouverneur m'annonçant ma nomination au Sénat. Le vent avait tourné. Le lendemain soir, Leigh Ann m'a fait la surprise de m'emmener dîner, dans le même restaurant et à la même table où nous avions eu notre premier rendez-vous. Subitement, elle m'était revenue. J'imaginais que Kendra avait eu une explication avec Martin et qu'il avait mis fin à sa liaison avec ma femme. Nous allions vivre heureux de nouveau, comme si cette aventure n'avait jamais existé. Puis Martin a été tué. Vous ne comprenez pas ? Kendra était entrée dans une telle fureur, en apprenant la vérité, qu'elle avait engagé un tueur à gages.

— Pourquoi n'en avez-vous pas parlé à la police ? »

Il inspira profondément, les larmes aux yeux. « Parce que j'aime ma femme et que je ne veux pas la voir humiliée en public. Et parce que je ne veux pas la perdre. Elle ne sait toujours pas que je suis au courant de sa liaison.

– Kendra a peut-être engagé un tueur, mais il se pourrait aussi bien que ce soit vous. Après tout, vous êtes le premier à avoir fait appel à Joe Brenner, et c'est vous qui désiriez follement retrouver votre femme.

– *Jamais* je n'aurais pu faire une chose pareille. À l'époque, j'ai montré nos relevés bancaires à la police. Tout était en ordre. J'ai payé Brenner quelques centaines de dollars en liquide, certainement pas assez pour commanditer un assassinat. »

À la demande de Laurie, Leo avait déjà obtenu cette information par la police de New York, mais elle désirait l'entendre de la bouche même de Daniel Longfellow. Le commissaire principal avait dit à Leo que le sénateur leur avait fourni l'ensemble de ses relevés de comptes et de ceux de sa femme, et qu'aucun retrait de liquide important injustifié n'y apparaissait.

« Je ne pense pas que Kendra soit coupable, pour ma part. Pour une bonne raison, sénateur : Brenner n'a jamais fait ce que vous lui aviez demandé. Il n'a jamais fourni à Kendra la preuve d'une liaison quelconque. »

Elle attendit de voir s'il en tirait la même conclusion qu'elle. Il blêmit. « Mon Dieu. Vous pensez que *Brenner* aurait pu tuer Martin ? » Manifestement, cette idée ne lui avait jamais traversé l'esprit.

Elle hocha la tête. « Je pense du moins que c'est une possibilité. Il a piégé Kendra en la poussant à déverser toute sa rancœur contre Martin et il a enregistré leurs conversations. Je pense qu'il a tué Martin, sachant qu'il pourrait faire chanter Kendra pour le restant de ses jours.

— Dans ce cas, c'est moi qui ai tout déclenché », dit Daniel d'une voix blanche. « J'aurais dû savoir que les mensonges ne s'effacent jamais. Ils se propagent en chaîne. Je dois faire ce qui est juste, même s'il me faut tout dire à Leigh Ann. Même si c'est la fin de ma carrière. Je participerai à votre émission. J'irai à la police. Je suis prêt à exposer mes secrets au grand jour.

— Je vous en suis reconnaissante, sénateur. Mais pour l'instant, je vais vous demander de n'en rien faire. J'ai une idée qui pourrait faire tomber Brenner. »

Dès qu'elle fut dans un taxi, Laurie téléphona à Kendra et laissa un message sur son répondeur. « Kendra, c'est Laurie. Rappelez-moi. Je sais qui est l'homme du bar. Nous allons le piéger. »

54

L E LENDEMAIN après-midi, Laurie et Leo se retrouvèrent dans le garage de Kendra. Le chef opérateur
de l'émission, Nick, patientait dans l'allée, au volant de
la camionnette de la production, et ils attendaient l'arrivée de Grace et de Jerry qui avait tenu à conduire sa
nouvelle voiture.

Un message s'afficha sur le portable de Laurie. Il pro-
venait de Jerry :

> Désolé, circulation d'enfer,
> mais on arrive bientôt. Prêts à l'attaque.

« OK, tout le monde est en place », dit Laurie.

Kendra regarda son portable. Sa main tremblait.

« Vous êtes sûre que vous y arriverez ? demanda Laurie. Nous avons aussi la possibilité d'aller trouver la police. »

Les yeux de Kendra s'agrandirent. « Non. D'après ce
qu'on dit, ce Brenner a des appuis politiques. J'ai vu

comment la police me traitait après la mort de Martin. Je suis certaine que quelqu'un dans leur service a tiré les ficelles pour dissimuler la liaison de Martin et Leigh Ann. J'avais raison de les soupçonner pendant toutes ces années, et on m'a fait passer pour folle. »

Laurie jeta un coup d'œil à Leo et le vit froncer les sourcils. Son père était attaché à l'uniforme. Il ne supportait pas les gens qui ne faisaient pas confiance à la police, mais Laurie comprenait les réserves de Kendra. A priori, Brenner avait plus d'un appui au sein de la police de New York. Et si Kendra parlait aux policiers maintenant, rien ne garantissait qu'ils croiraient que Brenner avait agi de son propre chef. Le détective pourrait utiliser les enregistrements, avouer qu'il avait tué Martin à la demande de Kendra et négocier une remise de peine en témoignant contre elle.

« Je ne promets pas que cela marchera, dit Laurie.

– Je sais, murmura Kendra. Mais je n'aurai jamais de meilleure occasion de prouver mon innocence. »

Elle effleura la chaîne d'argent de son collier. Le pendentif dissimulait un émetteur relié à la camionnette de la production.

« Vous êtes prête ? » demanda Laurie. Elle lui envoya une photo depuis son téléphone. C'était la première étape du plan. Son portable affichait déjà le numéro de téléphone de Brenner qu'elle avait trouvé sur son site internet. Étape numéro deux.

Kendra hocha la tête. Elle paraissait plus sûre d'elle qu'à l'arrivée de Laurie et de Leo. « Allons-y. Réglons-lui son compte. »

Laurie appuya sur la touche « Appel ».

Au bout de trois sonneries, l'appel fut dirigé vers la boîte vocale. Normal on est samedi, pensa Laurie. C'était prévu. « Monsieur Brenner, ici Laurie Moran. » Leo lui fit un signe, l'encourageant à garder un ton calme et assuré. « Je suis journaliste et productrice de télévision aux studios Fisher Blake. Votre nom a été mentionné au cours de l'enquête que nous menons sur le meurtre du Dr Martin Bell. Nous aimerions vous donner l'occasion de vous exprimer sur cette affaire avant la diffusion de l'émission. Pouvez-vous me rappeler le plus tôt possible ? »

Elle raccrocha, le cœur battant. Alex et Leo lui avaient dit que les détectives privés redirigeaient les appels sur leur portable, afin de pouvoir vérifier leurs messages à tout instant. Dans ce cas, Joe Brenner était en train d'écouter la voix de Laurie en ce moment même. Ils restèrent assis dans un silence complet. Il n'y avait plus qu'à attendre.

Moins d'une minute plus tard, le portable de Kendra vibra dans sa main. Elle sursauta comme si elle recevait une décharge électrique. Elle tourna l'écran vers eux. Le numéro était masqué.

C'était Brenner.

La voix de Kendra tremblait quand elle répondit : « Allô ? »

Elle se pencha vers Laurie, qui put distinguer celle de Brenner. « Vous n'êtes pas sérieuse, Kendra. Vous avez oublié nos règles ? Qu'avez-vous dit à ces producteurs ?

— Rien, répondit-elle. Je n'ai pas dit un mot à votre sujet, mais je viens de parler au téléphone avec Laurie Moran, la productrice. Elle sait tout.

— Pourquoi ne pas m'avoir appelé tout de suite ?

— J'étais sur le point de prendre mon téléphone quand il a sonné. J'ai dû aller dans le garage pour que les enfants ne m'entendent pas.

— Je sais donc où se trouvent les adorables Bobby et Mindy en ce moment. Comme c'est aimable à vous. »

Sa voix était glaciale et Laurie sentit sa gorge se serrer. Elle saisit la main libre de Kendra et l'étreignit doucement.

« Je vous en supplie. Je vous jure que je n'ai rien dit. Nous devrions nous voir pour en parler... Je vous raconterai tout ce qu'elle m'a dit. Je crains qu'elle ait demandé à la police de mettre mon téléphone sur écoute. »

La ligne fut brusquement coupée. Kendra vérifia l'écran, se demandant si la connexion avait été interrompue. Un texto apparut provenant d'un numéro masqué :

RDV au Cooper Triangle. Quarante minutes.

« C'est un bar ? demanda Laurie.

— Non, c'est un petit square près de Cooper Union. Je l'ai déjà retrouvé à cet endroit. »

Cooper Union était une petite école d'art du Lower East Side. Laurie voyait parfaitement où elle se situait.

Kendra activa la commande de la porte du garage, et Laurie et Leo sautèrent dans la camionnette avec Nick. Laurie indiqua au cameraman la route à suivre tout en envoyant un texto à Jerry. Cooper Union n'était qu'à quelques blocs. Ils seraient sur place avant que Kendra et Brenner arrivent. C'était la seule façon de mener à bien leur plan.

55

TRENTE-HUIT MINUTES plus tard exactement, assise sur le siège passager de la camionnette, Laurie regardait Kendra se diriger vers l'est dans la 8e Rue et tourner à droite dans Cooper Square. Elle attendit que le feu passe au vert pour s'avancer vers un petit square triangulaire qui avait remplacé un terre-plein central canalisant la circulation.

« Je suis presque arrivée, dit Kendra. J'espère que vous m'entendez. »

À la demande de Laurie, Nick appela le portable de Kendra, le laissa sonner une fois et raccrocha. C'était le signal dont ils étaient convenus pour confirmer que la liaison audio était établie avec la camionnette.

Un texto de Jerry arriva sur le portable de Laurie.

Je l'ai repérée. J'ai un bon angle.
Et vous, vous la voyez ?

Laurie quitta son siège et alla rejoindre Nick et Leo à l'arrière de la camionnette. Jerry utilisait une petite caméra montée sur le tableau de bord de sa voiture, mais Laurie s'en remettait à Nick pour les meilleures séquences. Il filmait Kendra au téléobjectif. La caméra était placée à l'extérieur de la camionnette, dissimulée dans du matériel installé sur le toit. Elle regarda Kendra arriver au square comme prévu.

« C'est bon pour nous aussi », répondit-elle.

Ils ne s'étaient jamais lancés dans une opération clandestine de ce genre. Dans l'État de New York, seul le consentement d'un des deux interlocuteurs était requis pour enregistrer une conversation. Grâce à la coopération de Kendra, ils allaient peut-être pouvoir révéler le rôle que Joe Brenner avait joué dans l'assassinat de Martin Bell.

Deux minutes après l'arrivée de Kendra, un type costaud, vêtu d'un sweat à capuche bleu marine, arriva du nord, les mains dans les poches. En les voyant engager la conversation, Laurie fit signe à Nick d'augmenter le son. Il tourna un bouton, et ils entendirent clairement le dialogue entre Kendra et Brenner.

« Nous avions un marché, disait Brenner. C'est vous qui avez décidé de participer à cette émission. Vous ne deviez pas révéler mon existence. Et voilà que la productrice me téléphone. J'exige une explication.

— Je vous jure que ce n'est pas moi. Laurie Moran m'a appelée aujourd'hui. Je ne m'y attendais pas. Elle m'a dit qu'elle savait qui avait tué Martin. Et ensuite, elle m'a envoyé cette photo. »

Kendra lui montra l'écran de son téléphone où s'affichait la photo que Laurie lui avait transférée un peu plus tôt. L'heure inscrite sur l'écran confirmerait l'histoire que Kendra était en train de débiter, si Brenner décidait de regarder la photo de plus près. Mais il se borna à y jeter un rapide coup d'œil. C'était un portrait provenant du site internet de son agence de détectives.

« Elle vous a donné mon nom ? »

Laurie croisa les doigts, espérant que Kendra saurait mentir.

« Non, répondit celle-ci sans hésitation. Elle a envoyé uniquement une photo. Comme je vous l'ai dit, j'ai trouvé une excuse pour raccrocher et j'étais sur le point de vous appeler quand vous m'avez devancée.

– Qu'est-ce que ces producteurs vous ont dit d'autre ?

– Ils m'ont demandé si j'avais été contactée par un détective privé à propos d'une liaison dont je soupçonnais Martin. Bien entendu, j'ai répondu que non. Tout le monde me traitait de cinglée, même avant la mort de Martin. Ils étaient tous persuadés que j'avais inventé cette histoire de toutes pièces. Mais après vous avoir téléphoné, j'ai enfin compris. C'est vous le détective privé dont ils parlaient. Celui qui vous a engagé a peut-être parlé de vous aux producteurs de la télé. Grâce à cette émission, la preuve en sera faite : c'est vous qui avez tué Martin. »

Il eut un rire amer. « Vous êtes aussi folle que vous l'étiez il y a cinq ans, si vous croyez vraiment que j'ai tué votre mari !

– Pour moi, vous n'étiez qu'un dangereux individu auquel j'avais été stupide de confier mes problèmes. Mais ce n'est pas par hasard que vous m'avez enregistrée alors que je vous racontais mes malheurs conjugaux. On vous avait envoyé. Qui vous avait engagé ? Daniel Longfellow ? »

Brenner ricana. « Entre nous, Kendra, après toutes ces années, j'adorerais connaître la vérité. Vous prétendez vraiment n'être pour rien dans la mort de votre mari ?

– Bien sûr que non ! affirma Kendra avec véhémence. Je crois que c'est *vous* qui l'avez tué !

– Vous faites fausse route, ma belle. Écoutez, j'ai l'impression que ces gens ne savent rien du tout. Gardez le silence comme nous l'avions dit. Je vous préviendrai quand viendra la date du prochain paiement. »

Il commença à s'éloigner, mais Kendra le retint.

« Les producteurs ne m'ont jamais donné votre nom, monsieur Brenner. »

Les lèvres du détective remuaient, mais il était trop loin de Kendra. On ne l'entendait pas au milieu du bruit des voitures.

Kendra se remit à parler. « Après avoir reçu cette photo, j'ai consulté Google Image. Votre site internet est apparu immédiatement. Vous vous appelez Joe Brenner. Et vous avez une licence de détective privé que vous n'avez probablement pas envie de perdre. » Elle avança de trois pas dans sa direction. À l'écran, Laurie voyait la frayeur peinte sur le visage de Kendra, mais cette dernière se souvenait qu'ils lui avaient recommandé de rester près de Brenner afin de pouvoir l'enregistrer. « Pendant des années vous m'avez menacée de remettre les enregistrements à la police. Mais un bon policier pourrait *vous* soupçonner d'avoir tué mon mari, dans le but de m'extorquer de l'argent jusqu'à la fin de mes jours, vous ne croyez pas ?

— Faites attention, Kendra. Je n'aime pas qu'on me menace.

— Vous êtes une brute. Vous savez depuis toujours que je suis innocente mais vous me faites chanter depuis cinq ans. Aujourd'hui, c'est fini. Dites-moi la vérité, et nous pourrons suivre chacun notre propre chemin. Ou je vais trouver la police. »

Brenner sourit et secoua la tête, toujours en silence. Il arracha tout à coup le téléphone des mains de Kendra et l'inspecta.

« C'est bien ce que je craignais, soupira Laurie. Il a compris qu'on l'enregistrait. »

Il se mit à tâter le devant de la robe de Kendra, mais elle recula. Ils entendirent un bruit de lutte et un cri : « Arrêtez ! »

Brenner se redressa et inspecta méthodiquement les alentours. Ses yeux s'arrêtèrent brusquement sur la camionnette avec son installation sur le toit.

« Il nous a repérés », dit Leo.

Sans réfléchir, Laurie ouvrit la porte arrière du véhicule.

« Laurie, non ! s'écria son père.

— Papa, il ne va pas me tirer dessus devant une caméra en marche. Continuez à filmer ! »

Un taxi klaxonna au moment où Laurie s'élançait sur la chaussée.

56

B RENNER se retourna, prêt à s'enfuir, mais il était bloqué. Un flot ininterrompu de voitures filait le long du square.

« Il y a un ancien officier de police armé dans la camionnette, vous n'avez pas intérêt à nous faire du mal », annonça Laurie.

Brenner leva les deux mains. « J'ignore de quoi il retourne, mais il y a un énorme malentendu. Je suis détective privé. Je ne brutalise ni ne tue personne.

– J'ai des preuves attestant que vous avez été engagé par Daniel Longfellow pour enquêter sur la liaison de sa femme avec Martin Bell. Et que Longfellow vous a ensuite demandé de révéler ces informations à Kendra. »

Il haussa les épaules. « Et même si c'était vrai ? C'est mon boulot.

– Sauf que vous n'avez jamais parlé à Kendra de cette liaison, n'est-ce pas ? Vous y avez vu une occasion de vous faire de l'argent. Après avoir enregistré ses récriminations, vous avez tué Martin Bell et vous la faites chanter depuis ce jour.

– Vous êtes complètement malade. C'est moi le brave type dans ce micmac. Je n'ai jamais remis à Kendra les photos de son mari avec une autre femme parce qu'elle avait déjà perdu la tête. Qui sait à quelle extrémité cela aurait pu la conduire ? »

Tandis qu'il avançait cette explication apparemment innocente, le visage de Brenner s'était adouci et sa voix était devenue moins cassante. Il semblait différent de l'homme qui parlait à Kendra quelques minutes plus tôt. « Tout le monde savait que Kendra pouvait s'effondrer d'un moment à l'autre.

– Alors vous en avez profité pour la faire chanter !

– Écoutez, ma p'tite dame. Vous êtes à côté de la plaque.

– Dans ce cas, pourquoi l'avez-vous enregistrée ? »

Il sortit un petit enregistreur de la poche de son sweat et le lui montra. Un voyant rouge était allumé sur le devant. « Parce que je suis détective privé. J'enregistre tout. J'efface ce dont je n'ai pas besoin. Mais quand le toubib a été assassiné, je me suis dit que c'était Kendra. Son mari voulait la larguer. Le docteur et ses parents voulaient lui enlever ses gosses. Ils l'auraient abandonnée sans un sou.

– Si vous pensiez Kendra coupable, pourquoi n'avez-vous pas produit les enregistrements ?

– Parce que je sais comment ça se passe dans un procès. Ça n'aurait pas suffi à la police pour l'incriminer. Ce ne pouvait pas être elle qui avait appuyé sur la détente. Elle était dans la maison au moment du meurtre. Ce qui veut dire que quelqu'un d'autre l'avait fait pour elle. Ils m'auraient accusé – comme vous le faites – et il aurait fallu que j'explique pourquoi Kendra me versait de l'argent. J'essayais seulement de me rendre utile. Sans compter que j'aurais dû révéler la liaison de Leigh Ann Longfellow, et j'aurais perdu tous mes clients à Albany. Je me protégeais, mais je ne suis pas un assassin.

– Non, vous êtes un maître chanteur. »

Il regarda autour de lui avec inquiétude. « Vous mélangez tout, ma p'tite dame.

– Nous venons de vous filmer, Brenner. « Je vous préviendrai quand viendra la date du prochain paiement. » C'est quoi, ça, sinon du chantage ? Et vous m'avez suivie, moi aussi. Une fois sur votre piste, la police découvrira où vous étiez lundi soir. Vous m'avez poussée sous les roues d'un taxi et dérobé mon sac. Au moins deux délits supplémentaires. »

Voyant une accalmie dans la circulation, il lâcha : « Vous dites n'importe quoi. Ça suffit comme ça », puis, tournant le dos à la camionnette, il traversa en courant jusqu'à Bowery et prit la direction du sud. En arrivant à l'angle de la rue, il sortit son téléphone de sa poche.

« Il n'a pas avoué, dit Kendra.

– Nous savions que c'était risqué, dit Laurie. Mais croyez-moi, l'enregistrement va vous aider. Et pour le chantage, nous l'avons pris la main dans le sac.

– Et maintenant ? »

Laurie regarda Brenner, plus loin, qui téléphonait. Elle n'avait pas l'intention de le lâcher. Saisissant son propre téléphone, elle appela Jerry, qui stationnait dans la 5e Rue. « Monte jusqu'à Bowery, prends à droite et tourne dans la Sixième Avenue. Attends-nous. »

Elle ne quittait pas Brenner des yeux. Elle appela Leo. « Il est en train de contacter quelqu'un. Je veux voir dans quelle direction il va maintenant. On ne peut pas le suivre avec la camionnette, mais il n'a pas repéré notre deuxième voiture. Je vais le filer avec Jerry.

– Pas sans moi », dit Leo.

Ils traversèrent en courant Bowery et gagnèrent la 6e Rue, où Jerry attendait le long du trottoir, moteur allumé. Il portait des jumelles autour du cou. En ouvrant la portière à l'arrière, elle vit que la banquette avait été repliée pour pouvoir caser cartons et sacs dans la petite voiture.

« Désolé, Laurie. J'avais l'intention de transporter diverses affaires à Fire Island quand nous aurions fini. »

Brenner allait lui filer entre les mains. Il lui fallait faire vite. Cela n'allait pas plaire à Jerry, mais si elle devait avoir une seule personne avec elle, mieux valait que ce soit un ancien policier armé que son jeune assistant de production.

« Bon... est-ce qu'on peut t'emprunter ta voiture ? Et prête-moi aussi tes jumelles. »

57

OE BRENNER avait du mal à avancer dans Bowery. Pendant cinq ans, ses rencontres avec Kendra avaient été synonymes d'argent facile. En théorie, elle aurait pu essayer de retourner la situation à son avantage, mais elle ne l'avait jamais fait. Pas une seule fois. Elle avait trop peur. Elle avait de l'argent et elle continuerait à payer. Fastoche.

Mais aujourd'hui, tout à coup, Kendra avait sorti de nouvelles cartes de sa manche. Elle l'avait bien eu, maintenant : une émission de télévision regardée par des millions de téléspectateurs disposait d'une vidéo de sa rencontre avec elle, à en juger par l'équipement sur le toit de cette camionnette. Il repassa leur conversation dans son esprit, sans se mentir : oui, elle l'avait bien eu.

Il avait nié avoir tué Martin Bell – naturellement – mais avait ordonné à Kendra de se taire, signe évident qu'il cachait quelque chose. Et il avait parlé du prochain versement. Voilà qui pourrait le faire arrêter et accuser de chantage. Il perdrait sa licence et irait en prison.

Pas question.

Quelqu'un de haut placé pourrait empêcher ça. Il savait à qui s'adresser. Il sortit son téléphone. La voix qui répondit était teintée d'inquiétude, comme toujours.

« J'ai besoin que vous fassiez quelque chose pour moi, dit-il.

– Combien cette fois ?

– Pas d'argent. Un service. Et je disparaîtrai à jamais de votre vie.

– Quel genre de service ? »

La voix était plus nerveuse.

« Pas au téléphone », dit Brenner. Il fallait se méfier, maintenant. Il avait besoin de reprendre ses esprits. Il avait besoin de grand air, de s'éloigner de la ville. « Retrouvez-moi dans Randall's Island sur le parking près du terrain n° 9. »

Il lui arrivait de se rendre là-bas en voiture sans raison particulière, sinon pour le plaisir d'être entouré de verdure.

Il y eut un long silence, puis la voix à l'autre bout de la ligne dit : « Je pars immédiatement. »

58

LAURIE voyait défiler les panneaux de sortie sur la voie rapide qui longeait l'East River. Ils avaient repéré Brenner, qui marchait dans Bowery en direction du sud. Ils l'avaient vu se mettre au volant d'une Dodge Charger noire. À présent, ils le suivaient à bonne distance, ignorant leur destination.

« Je n'arrive pas à croire que cette voiture soit électrique, dit Leo. C'est un vrai bolide.

– Bon, manie-la avec précaution. Jerry y tient comme à la prunelle de ses yeux. Où Brenner nous emmène-t-il ? Pas à Albany, j'espère. Jerry dit que la voiture n'a une autonomie que de deux cent soixante kilomètres.

– Il a mis son clignotant. Direction le Triborough Bridge. Peut-être va-t-il à La Guardia ? Il pourrait tenter de prendre la fuite. Attends, il remet son clignotant. Direction Randall's Island, maintenant. »

C'était une île sur l'East River entre Harlem, le Bronx

sud et le Queens. La plus grande partie de l'île était un parc public.

« Ne le suis pas de trop près, papa. Il y a des parties du parc qui sont désertes. Tu auras peu de voitures auxquelles te mêler.

– Figure-toi que ton vieux père a quelques filatures à son actif. Tout est sous contrôle. »

Laurie pointa les jumelles sur la plaque minéralogique de la Charger. Elle prit un bout de papier et un crayon dans la boîte à gants et le nota. « Petite précaution au cas où on le perdrait.

– Excellente idée, mais je n'ai pas l'intention de le perdre », rétorqua Leo. Puis, montrant la voiture du doigt, il ajouta : « Il s'arrête dans le parking près du terrain de baseball.

– Ne le suis pas, il risque de nous repérer. »

Laurie avait déjà emmené Timmy à cet endroit pour des fêtes d'anniversaire et se souvenait de la disposition des lieux. Le parc comprenait plus de soixante terrains de sport. Ils n'étaient jamais tous occupés, même par beau temps.

« Fais-moi confiance », dit rapidement Leo en s'approchant du parking où Brenner s'était engagé. Laurie se recroquevilla sur son siège au moment où Leo le dépassait. « Il y a un bosquet un peu plus loin, dit-il. Je vais me garer derrière. Il pourra voir la voiture, mais pas nous à l'intérieur. »

Leo roula encore quelques instants, puis s'arrêta.

« Papa, on devrait peut-être appeler du renfort.

— Pas encore. J'ai l'intuition qu'après t'avoir quittée, il a appelé quelqu'un qui doit venir le retrouver ici. Je ne veux pas que cette personne prenne peur. »

Brenner était sorti de sa voiture et fumait une cigarette, appuyé au capot. Il consulta sa montre, regarda autour de lui, s'attardant sur les arbres qui les protégeaient.

« Il nous observe, papa.

— Ne t'inquiète pas. Il ne peut pas nous voir d'où il est. »

Un autre véhicule, un break Volvo, entra dans le parking et s'arrêta près de la voiture de Brenner. Laurie régla les jumelles afin de distinguer le conducteur. « C'est une femme, dit-elle. J'ai l'impression de la connaître. Oh mon Dieu, papa. Je ne le crois pas ! C'est Leigh Ann Longfellow. »

La femme du sénateur descendit de sa voiture, regarda autour d'elle et marcha vers Brenner. Bien que le temps soit couvert, elle portait des lunettes de soleil.

Ni Leo ni Laurie ne remarquèrent un 4×4 blanc se dirigeant vers le terrain voisin.

59

Brenner avait l'habitude de tout contrôler. Tout môme, il régentait la cour de récréation, choisissait à quel jeu jouer, terrorisait quiconque osait s'opposer à lui. Au collège, il avait su exactement ce qu'il voulait étudier – le maintien de l'ordre public. Il voulait faire respecter la loi et avoir une plaque qui témoignerait de son autorité. Quand les études lui avaient paru fastidieuses, il avait pris les choses en main et s'était enrôlé dans l'armée, se disant que le service militaire ferait de lui un candidat idéal pour entrer dans la police.

Même après avoir été exclu de l'armée pour avoir agressé son sergent – une raclée que Brenner jugeait encore bien méritée –, il ne s'était pas découragé. Il s'était débrouillé pour que soit portée sur son livret militaire une mention relativement clémente, alors que l'armée voulait le traduire devant une cour martiale. Et puisque ses mauvais états de service lui avaient barré la route de la police, il avait trouvé un autre moyen d'utiliser ses talents : comme détective privé. Enfin, lorsque les avocats avaient cessé de faire appel à lui, il s'était introduit dans les milieux politiques et était devenu l'homme des « recherches d'opposition », missions qui consistaient à collecter des informations sur un adversaire politique.

Devant un défi, il trouvait toujours le moyen de garder le contrôle de la situation.

Mais aujourd'hui, la situation semblait lui échapper. Il ne pouvait croire que la formidable arnaque qu'il avait montée cinq ans plus tôt était en train de s'écrouler. Tout avait commencé par une enquête banale : un mari jaloux qui voulait savoir si sa femme le trompait. Mais le mari en question n'était pas le premier venu. C'était un politicien en vue, Daniel Longfellow. Durant toutes ces années passées à délivrer de mauvaises nouvelles à des clients, Brenner n'avait jamais vu quelqu'un aussi accablé d'avoir été trahi. Il n'aurait pas été surpris que Longfellow se mette à sangloter de désespoir devant lui.

Et le respect qu'il nourrissait pour cet homme s'était évanoui quand le sénateur l'avait supplié de les « empêcher de continuer ». Brenner lui avait indiqué les noms de quelques-uns des meilleurs avocats spécialisés dans le divorce, mais tout ce que voulait Longfellow, c'était récupérer sa femme. Il lui avait demandé d'aller montrer les preuves qu'il détenait à Kendra Bell. Il lui avait dit : « Ils ont des enfants, elle le forcera à mettre fin à leur liaison. »

En d'autres termes, il voulait que Kendra fasse le sale boulot à sa place. Eh bien, Brenner n'était pas du genre à laisser passer sa chance. Il avait commencé par faire chanter Leigh Ann, quand il avait entendu dire que le gouverneur songeait à Longfellow pour le siège vacant du Sénat. Il lui avait menti en lui disant que la femme de Martin Bell l'avait engagé pour filer son mari, mais qu'il était prêt à lui vendre les photos compromettantes si elle y mettait le prix. C'était elle qui gagnait le plus dans le ménage, et il était clair qu'elle avait l'ambition de devenir *first lady* un jour. Une *first lady* ne se fait pas prendre en train d'embrasser le mari d'une autre. Elle avait raqué.

Avec Kendra, cela avait été plus compliqué. Quand il l'avait abordée au bar des Petits Truands, il n'était pas sûr de la carte qu'il lui faudrait jouer. Mais son mari était plein aux as, et il y avait là une occasion de gagner le gros lot. Comment imaginer qu'elle allait s'épancher auprès de lui et, surtout, que son mari serait assassiné quelques jours plus tard ? Comme le disait son grand-père : « À cheval donné, on ne regarde pas les dents. » Deux femmes, deux paiements réguliers – et aucune des deux n'avait jamais su que c'était ce pleurnicheur de Longfellow qui avait mis toute l'affaire en branle.

À présent, il devait à nouveau faire pression sur Leigh Ann, mais pas pour du fric.

Elle était visiblement furieuse quand elle descendit de sa voiture, mais elle regarda d'abord prudemment autour d'elle, craignant d'être reconnue. Il y avait d'autres voitures sur le parking, mais personne à l'intérieur. Les matchs de baseball et de football avaient déjà commencé.

« Vous ne pouvez pas m'appeler comme ça pendant le week-end pour me demander de venir illico dans un endroit perdu. Heureusement que Daniel était à son bureau, sinon...

– Il faut que votre mari appelle ses copains de la police, le bureau du procureur ou qui il voudra, pour m'obtenir la garantie d'être libéré si jamais on me fiche en taule. »

Elle le toisa avec dédain. « Vous avez perdu la tête ? Vous vous croyez dans un roman de gare ? Ce n'est pas comme ça que les choses se passent dans la vraie vie. »

Si Brenner avait été en pleine possession de ses moyens, il aurait remarqué qu'il n'y avait cette fois ni hésitation ni nervosité dans la voix de Leigh Ann. Et cette assurance nouvelle lui aurait mis la puce à l'oreille.

« Mais si, c'est *exactement* comme ça qu'elles se passent. Tous les jours. Les enfants du sénateur Machin-Chose se font arrêter pour conduite en état d'ivresse, et hop ! on égare le procès-verbal. Le député Duchemol se fait pincer avec de la drogue dans sa voiture, et le petit sac en plastique, la pièce à conviction, reste introuvable. On a tiré des ficelles. Maintenant, vous et votre célébrité de mari allez les tirer pour moi.

— C'est hors de question. Daniel ne sait même pas qu'il s'agissait de Martin. Comment pourrais-je lui expliquer que je vous connais ? »

Il refréna une subite envie de rire. Elle était si maligne et en même temps si stupide. « Croyez-moi, Leigh Ann, il sait qui je suis. C'est lui qui m'a engagé, pas Kendra. Il est au courant, pour vous et Martin. Il l'a toujours été. »

Elle parut déstabilisée. « Quand bien même, il ne ferait jamais ce que vous demandez. Il a des principes, voyez-vous.

— C'est vrai, et c'est pour ça que c'est à vous de le lui demander. Il le fera pour vous, parce qu'il vous aime et qu'il ferait n'importe quoi pour vous éviter des ennuis. Je le connais. Il se ferait tuer pour vous. »

Elle baissa la tête, réfléchissant visiblement aux options qui s'offraient à elle. Elle jeta un coup d'œil aux joueurs de football et de softball sur les terrains voisins. Et regarda un instant la voiture à moitié cachée par le bosquet.

« J'ai peur que quelqu'un me reconnaisse. Allons discuter dans votre voiture. »

Il déverrouilla les portières et s'assit au volant de la Dodge Charger. Elle attendit d'être montée à son tour et lâcha entre ses dents : « Vous avez mille fois raison. Danny m'aime. Et c'est pour cette raison que je ne peux pas vous laisser nous détruire. »

Sur ce, elle tira de sa poche un pistolet.

60

LAURIE observait la scène à travers ses jumelles. Leigh Ann montait dans la voiture de Brenner et s'asseyait à côté de lui. Elle les voyait de face. Des traverses de chemin de fer de cinquante centimètres de haut séparaient le parking du terrain de football.

Tous les éléments qu'ils avaient rassemblés au cours de l'enquête se bousculaient dans sa tête. Depuis qu'Alex avait reconnu la photo de Joe Brenner, elle était convaincue de la culpabilité de ce dernier. Mais à présent, elle se repassait en boucle la phrase qu'il avait prononcée plus tôt dans la journée.

« Après toutes ces années, j'adorerais connaître la vérité. Vous prétendez vraiment n'être pour rien dans la mort de votre mari ? »

C'est à ce moment-là qu'elle aurait dû comprendre. Brenner n'avait pas été engagé pour tuer Martin. Il ne l'avait pas tué.

Continuant à observer à la jumelle, elle dit : « Papa, il faut faire quelque chose. Brenner n'est pas l'assassin. C'est Leigh Ann. »

Pour elle, Brenner était l'image même du voyou, tête rasée et regard mauvais. Certes, ce n'était pas un ange, mais cela n'en faisait pas un assassin.

Leigh Ann Longfellow, quant à elle, avait joué le rôle de l'innocente spectatrice accusée d'être l'« autre femme » par une épouse paranoïaque. Et Laurie, comme tout le monde, était tombée dans le panneau.

Ses pensées tourbillonnaient si vite qu'elle avait du mal à les exprimer clairement. « Papa, quand la police a vérifié l'alibi de Leigh Ann, il reposait entièrement sur les déclarations de Daniel. C'était *lui* qui avait une réunion avec les sénateurs, *lui* qui avait fait la réservation d'hôtel, *lui* qui avait sa photo dans les journaux. Et lui encore qui avait affirmé que sa femme l'avait accompagné dans ce voyage. »

Tout lui apparaissait clairement, comme si les événements se déroulaient devant elle en temps réel. Une affaire sentimentale entre deux époux malheureux en mariage. Martin à cause de la dépression de sa femme, Leigh Ann parce que la carrière de Daniel était bloquée à Albany. Laurie imaginait sa réaction en entendant le gouverneur prononcer le nom de son mari. Ils allaient quitter la capitale de l'État et la ranger au rayon des souvenirs. Daniel occuperait une position au niveau fédéral. Ils passeraient du temps à Washington. Son mari serait sur les rangs pour l'élection à la Maison-Blanche.

Mais Martin Bell n'avait rien à faire de tout ça. Il voulait une femme au foyer et une future belle-mère pour ses enfants.

Leigh Ann… Bell ? Non. Impossible. Aux enfants, elle préférait les chiens. Pour elle, Martin avait été une distraction quand son merveilleux mariage avait temporairement vacillé.

Martin n'aurait jamais accepté un refus. Il avait empêché sa femme de poursuivre une carrière médicale. Il racontait partout qu'elle était folle. Il l'avait droguée plutôt que de lui prodiguer les soins que son état mental nécessitait.

Exactement ce que Laurie avait diagnostiqué dès le début : le couple Martin-Leigh Ann était le mariage de l'eau et de l'huile, deux caractères incompatibles.

Ça crevait les yeux.

« Papa, il faut faire quelque chose. Leigh Ann va tuer Joe Brenner. »

61

À LA VUE de l'arme, Brenner comprit.

« Bien sûr, c'était vous, dit-il calmement. Et pendant tout ce temps, j'ai cru que c'était Kendra.

– Démarrez.

– Où allons-nous ?

– Vous le saurez bien assez tôt. »

Il tourna la clé de contact, passa la marche arrière et commença à reculer lentement. Comment appeler à l'aide ? Il soupçonnait que la voiture garée derrière les arbres l'avait suivi, mais ça ne l'avancerait guère si Leigh Ann décidait de le supprimer. S'il devait être traduit en justice pour chantage, d'accord. D'accord. Pourvu qu'il ait la vie sauve. Il fallait qu'il trouve un moyen de détourner l'attention de Leigh Ann.

« Je vous ai vus ensemble, Martin et vous, dit-il. Tous les deux vous aviez l'air... très attirés l'un par l'autre. Il n'était pas dangereux. Pourquoi l'avoir tué ? »

Leigh Ann avait l'air moins tendu. Elle semblait toujours sûre d'elle – comme lui-même l'était en général – et la panique qu'il avait vue dans ses yeux quand elle avait sorti son arme avait disparu. Il ne savait pas si c'était bon signe. Mais il fallait continuer à la faire parler. Gagner du temps. Elle ne semblait pas s'être aperçue qu'il avait cessé de faire marche arrière.

« Moi aussi, je le croyais inoffensif. Ce qui explique probablement pourquoi je me suis intéressée à lui. Je m'ennuyais à mourir, et Martin était un compagnon agréable en l'absence de Danny. Mais amoureuse ? De lui ? » Cette seule pensée lui paraissait risible. « Quand il faisait de grands projets pour nous, envisageait de quitter Kendra, et attendait que je fasse de même avec Daniel, je feignais d'être d'accord mais je n'ai jamais pensé qu'il parlait sérieusement. La dernière chose dont j'avais envie, c'était d'être femme de médecin, encore moins une belle-mère. Les enfants ne m'intéressent pas. Et quand on a commencé à parler de Danny pour le Sénat, j'ai compris que nous allions nous retrouver, lui et moi. J'ai rompu avec Martin. Mais il ne voulait rien entendre. Il a menacé d'aller trouver Danny et de lui révéler notre liaison si je le quittais. Je lui ai dit : "Ce serait peine perdue car Daniel m'adore." Mon mari ne m'aurait jamais quittée. Au contraire, il aurait redoublé d'attentions pour moi. Mais quand Martin a dit qu'il en parlerait aux médias, au moment où la carrière de Danny prenait un nouveau départ, j'ai eu peur. Je ne pouvais pas le laisser faire. »

Brenner comprit alors que cette femme était capable de tout justifier. Dans son esprit, Kendra et Daniel étaient responsables de son histoire avec Martin. Martin était responsable de sa mort et Brenner serait responsable de la balle qu'elle allait tirer sur lui.

« Votre mari sait-il ce que vous avez fait ?

– Danny ? Bien sûr que non ! Il ne sait même pas que je possède un pistolet. Je l'ai acheté pour me protéger quand il a commencé à passer de plus en plus de temps à Albany. Je l'ai acheté au marché noir, car Dieu sait comment réagiraient les électeurs de New York s'ils découvraient que leur représentant détient un pistolet. En fait, Danny était tellement convaincu de mon innocence qu'il n'a pas hésité à déclarer à la police que j'étais à Washington ce soir-là. Je l'ai persuadé que c'était le meilleur moyen de concentrer l'enquête sur le véritable assassin. »

Brenner possédait quatre armes différentes, qu'il avait toutes laissées chez lui. Preuve qu'il était toujours sûr de dominer la situation. Pendant cinq ans, il avait cru avoir Kendra et Leigh Ann à sa merci. Comme elles l'avaient démontré, il se trompait de A à Z.

« Je vous ai dit de démarrer. » Le ton de Leigh Ann était devenu glacial.

Brenner passa en marche avant et s'engagea dans la voie qui menait à la sortie du parc.

341

Il n'avait pas de mal à imaginer la suite : ils roulaient dans un quartier industriel isolé. Elle lui logeait une balle dans la tête, mettait en scène un suicide, lui plaçait dans la main son pistolet qui n'avait jamais été déclaré. Il serait accusé du meurtre de Martin et enterré dans la fosse commune.

« Je crois que l'un de nous a été suivi jusqu'ici », dit-il en désignant le bosquet, à quelques mètres sur leur gauche. C'était le moment qu'il attendait. Leigh Ann détourna les yeux un instant. Il appuya à fond sur l'accélérateur et braqua brutalement sur la gauche. Les 707 chevaux du moteur réagirent avec un rugissement et la voiture dérapa vers la barrière de traverses de chemin de fer. Tandis que Leigh Ann cherchait à garder son équilibre et pointait l'arme dans sa direction, les roues avant heurtèrent la barrière. La voiture partit en vol plané. Leigh Ann tira, mais le coup manqua Brenner et étoila le pare-brise.

Il lui saisit le bras, essaya de lui ôter le pistolet. Il parvint à l'immobiliser pendant une seconde, mais lâcha prise au moment où la voiture retombait brutalement sur le sol. Il agrippa le poignet de Leigh Ann et tenta de le diriger vers le tableau de bord. Un nouveau coup partit, réduisant la vitre avant en miettes.

Brenner se jeta alors sur Leigh Ann. Lui tenant le poignet d'une main, il saisit le canon du pistolet de l'autre. D'une secousse, il tenta de le lui arracher des mains. Mais il entendit alors un fracas violent et fut projeté contre le tableau de bord puis rebondit en arrière, au moment où retentissait une détonation. La voiture s'immobilisa après avoir heurté le bord en ciment de la barrière, derrière le marbre du terrain de baseball. Les deux airbags s'étaient déployés, laissant les deux adversaires étourdis.

Leigh Ann ouvrit les yeux et vit Brenner affaissé sur le côté dans son siège, la tête inclinée sur la poitrine. Elle bougea le pied, sentit quelque chose sur le plancher, devant son siège. Repoussant l'airbag dégonflé, elle se baissa et ramassa le pistolet.

62

L AURIE n'avait pas fini sa phrase quand elle entendit le vrombissement de la voiture de Brenner.

« Appelle la police », cria Leo en contournant le bosquet et en s'engageant sur l'aire de baseball. Ils regardèrent, impuissants, la voiture de Brenner accélérer vers le fond du terrain.

Je peux encore m'en tirer, pensa Leigh Ann. Elle s'était fait mal à l'épaule en s'efforçant de récupérer le pistolet sur le plancher. Elle essaya de s'éclaircir les idées. *J'ai ma voiture. Je vais peut-être pouvoir partir avant que quelqu'un arrive. Personne ne sait que je suis ici. Si on le découvre, j'invoquerai la légitime défense.*

Brenner gémit en ouvrant les yeux et tenta de se dégager. Braquant le pistolet sur son cœur, Leigh Ann lui lança : « Dites bonjour à Martin pour moi. »

Elle avait le doigt sur la détente quand une voix derrière elle cria : « Police de New York ! Lâchez cette arme. Les mains en l'air. »

Leigh Ann tourna la tête et vit Leo qui la tenait en joue.

« Je suis Leigh Ann Longfellow, dit-elle en laissant le pistolet glisser sur le plancher.

– Je me fiche de qui vous êtes, répliqua Leo. Levez les mains pour que je puisse les voir. »

Il fit un geste vers Laurie, qui ouvrit la portière du côté passager. Elle ramassa le pistolet.

Son arme toujours pointée sur Leigh Ann, Leo ordonna : « Descendez de voiture, asseyez-vous par terre et levez les mains. »

Leigh Ann obtempéra et Leo reporta son attention sur Brenner qui reprenait conscience.

« Je ne suis pas armé, dit-il.

– Gardez les mains levées », lui enjoignit Leo au moment où Laurie ouvrait la porte côté conducteur.

Brenner sortit péniblement et s'avança en chancelant vers Leo. Il s'assit dans l'herbe à quelques mètres de Leigh Ann.

Laquelle se mit alors à invectiver Leo et Laurie. « Pour qui vous prenez-vous ? Vous savez qui je suis ? Vous savez qui est mon mari ? C'est le sénateur Daniel Longfellow. Quand il découvrira la façon dont vous me traitez, vous pourrez vous chercher un nouveau job. »

Elle désigna Brenner. « Il a essayé de me tuer. Il avait son arme pointée sur moi. C'est lui qui a tué Martin Bell et il m'a fait chanter. Ne restez pas plantés là comme des idiots. Faites quelque chose ! »

Le détective fit mine de porter la main à la poche de sa veste, et Leo pointa son pistolet vers lui. « J'ai dit, gardez les mains en l'air. Qu'est-ce que vous cherchez ?

– Vous allez bien voir. Prenez-le vous-même, si vous ne me croyez pas. »

La main toujours levée, il désigna sa poche de l'index.

Laurie jeta un coup d'œil à son père qui hocha la tête. Elle s'approcha prudemment de Brenner, glissa la main dans la poche qu'il avait indiquée. Elle en tira le petit enregistreur numérique qu'il portait sur lui au Cooper Union Square. Le signal rouge était allumé.

« Tout est enregistré là-dedans, dit Brenner en souriant. Ça peut intéresser le procureur, vous ne croyez pas ? »

Leigh Ann lui jeta un regard noir. Il ajouta : « Je vous reverrai dans trente ans s'ils vous libèrent. Oh, mon meilleur souvenir au sénateur. »

En entendant la première sirène, le conducteur du 4×4 blanc démarra. Il trouverait un endroit où stationner près de la sortie du parc, à l'écart de l'agitation de la police qui suivrait immanquablement les détonations qui venaient de retentir dans Randall's Island.

Il présumait qu'elle partirait dans la petite BMW. Elle ne pourrait pas quitter l'île sans passer devant lui.

63

QUELQUES MINUTES plus tard, la route qui contournait le terrain n° 9 de Randall's Island grouillait de véhicules de premiers secours. Leigh Ann Longfellow et Joe Brenner, tous deux menottés, enfermés à l'arrière de deux voitures de police différentes, seraient bientôt transférés à Manhattan pour y être interrogés et incarcérés.

Le téléphone de Laurie sonna pour la troisième fois. C'était encore son agent immobilier, Rhoda Carmichael. Elle pressa la touche « Refuser l'appel ».

« Elle va simplement appuyer sur la touche "Rappeler" », dit Leo. Comme prévu, le téléphone vibra à nouveau quelques secondes plus tard. « Si tu veux éviter de devenir dingo, tu devrais lui répondre. »

Discuter d'immobilier était bien la dernière chose dont elle avait envie en ce moment, mais elle suivit le conseil de son père. « Rhoda, je ne peux pas vous parler en ce moment... »

Rhoda l'interrompit : « Laurie, écoutez-moi. Vous ne pouvez pas laisser filer celui-là. Dans un immeuble neuf sur la 85e, entre la Deuxième et la Troisième Avenue. Les propriétaires actuels possèdent tout le quinzième étage. Quatre grandes chambres, chacune avec salle de bains. Ils étaient sur le point d'emménager quand on a proposé au propriétaire de diriger une grande banque en Angleterre. Ils sont pressés de vendre. Leur agent est une de mes amies. Elle accepte que vous soyez les premiers à le visiter avant de le proposer à son réseau d'agences. Ce qu'ils en demandent est très raisonnable, et je sais qu'ils vont avoir des offres au prix. Vous éviterez la guerre des surenchères. Il faut qu'Alex et vous veniez le voir dès aujourd'hui. Vous arriverez probablement avant moi, et j'ai donné vos noms au portier. L'appartement est vide et la porte ne sera pas fermée à clé. »

Laurie leva les yeux au ciel. « Nous irons le voir demain, d'accord ?

— Non, je vous le répète, vous devez le voir maintenant. Demain, c'est dimanche, et nous sommes au plus fort de la saison des transactions immobilières. N'importe quel agent, même le moins doué, aura des rendez-vous toute la journée avec des acheteurs potentiels.

— Ce n'est pas le meilleur moment pour moi, dit Laurie, ce qui déclencha chez Leo un fou rire nerveux.

— C'est maintenant ou jamais, insista Rhoda. Cet appartement est ce qu'il y a de mieux dans tout l'Upper

East Side. À deux pas du Metropolitan Museum. Pas loin de chez votre père et de l'école. Exactement ce que vous cherchez, et il est dans un état impeccable.

– Une occasion unique, si je vous comprends bien. »

Leo lui fit un signe. « Vas-y. On en a pour des heures ici et de toute façon, il faudra que tu viennes au commissariat.

– Tu en es sûr ?

– Évidemment que j'en suis sûr. Je t'enverrai un texto avec l'adresse du commissariat une fois qu'ils seront prêts et tu pourras me rejoindre sur place. Je rentrerai avec l'un des policiers.

– D'accord. J'imagine que Jerry sera heureux que sa voiture lui revienne en un seul morceau. »

De nouveau en ligne avec Rhoda, Laurie lui dit qu'elle était sur le point de quitter Randall's Island.

« Parfait. Je rentre des Hamptons – c'est vous dire à quel point je suis sûre que cet appartement est celui qu'il vous faut. Appelez Alex et dites-lui de nous rejoindre sur place. Si vous arrivez avant moi, le portier vous laissera monter. »

Après avoir prévenu l'inspecteur en chef de ses intentions, Laurie monta en voiture et gagna la sortie du parc, passant devant la file des voitures de police. Elle téléphona à Alex. À la quatrième sonnerie, elle conclut qu'il était encore au Yankee Stadium avec ses deux jeunes greffiers, et laissa un message : « Hello. Il s'est passé beaucoup de choses aujourd'hui, ce serait trop long à raconter. En tout cas, je vais visiter un appartement avec Rhoda. Rejoins-nous là-bas si tu peux te libérer. » Elle lui indiqua l'adresse que Rhoda venait de lui donner.

En approchant de la sortie du parc, elle se brancha sur la radio 1010WINS. Les Yankees étaient en tête à la fin de la neuvième manche. Avec un peu de chance, leur timing serait parfait. Elle ne remarqua pas le 4×4 blanc qui la guettait.

64

A U VOLANT de son 4×4 blanc, Willie Hayes sourit de voir la petite BMW s'approcher de la sortie du parc avec un unique occupant : Laurie.

Il avait été tenté de passer à l'action lorsqu'elle s'était retrouvée seule dans la voiture. Mais Willie s'était renseigné sur Leo. Il savait que le père était une légende dans la police. Sans doute toujours armé. Et en effet, papa Leo avait sorti un pistolet et Willie avait jugé préférable d'aller se garer ailleurs.

En la suivant à la sortie de Randall's Island, il envisagea de provoquer un accident, de lui faire quitter la route avant le Triborough Bridge, mais comment être sûr qu'elle ne s'en tirerait pas indemne ? Rien n'était couru d'avance dans la vie – il en savait quelque chose. Quand elle prit la sortie de la 96ᵉ Rue, il pensa qu'elle se rendait chez elle. Il ne l'avait jamais vue au volant d'une voiture auparavant. Est-ce qu'elle avait un garage ? Stationnaitelle dans la rue ? Pourrait-il l'obliger à monter dans son 4×4 ? Il suffisait qu'elle soit seule sur le trottoir et qu'il s'approche par-derrière. Il avait un revolver tout neuf dans la poche de sa veste, ça la convaincrait. Si seulement il l'avait eu le soir où il se trouvait devant le piano-bar. Tout serait fini à présent.

Il sursauta en la voyant s'arrêter près d'une bouche d'incendie et faire de grands gestes à l'escogriffe qui semblait l'attendre. Willie reconnut le type qui avait chanté cette chanson ridicule, lors de son enterrement de vie de jeune fille. Allait-il rater sa chance une fois encore, après avoir attendu si longtemps ?

Il était sur le point de partir quand Laurie lança les clés de la BMW à son ami, qui se glissa à sa place derrière le volant et s'éloigna en la gratifiant d'un vigoureux coup de klaxon. Willie avança au ralenti, prêt à agir, mais elle le prit à nouveau au dépourvu en traversant la chaussée pour s'arrêter devant un immeuble. Avaient-ils déjà déménagé ? D'après les mails qu'il avait lus sur l'ordinateur volé, ils n'étaient toujours pas décidés.

Un camion de livraison libéra une place de stationnement au milieu de la rue. Willie s'avança lentement pour s'y garer, sans cesser de surveiller Laurie dans son rétroviseur. Elle s'adressait au portier. Il hésita un moment avant de descendre de voiture et de la suivre dans le bâtiment. Il arriva au moment où elle disparaissait dans l'ascenseur.

Elle allait visiter un appartement ! C'était l'occasion ou jamais.

Il s'approcha du portier. « Ma femme est montée pendant que je me garais. À quel étage se trouve l'appartement que nous devons visiter ?

— Quinzième étage. La porte en face de l'ascenseur.

— Quel numéro ?

— C'est le seul appartement de l'étage.

— Ma femme est seule là-haut ?

— Oui, pour le moment. L'agent immobilier doit arriver bientôt. Elle a dit de vous laisser monter, vous et votre femme, si vous arriviez les premiers. »

Avec un signe de tête, Willie passa devant lui, se dirigea vers l'ascenseur, attendit que la porte de la cabine se referme et appuya sur le numéro 15 en jubilant.

65

POUR UNE FOIS, Rhoda avait raison, s'émerveilla Laurie en entrant dans l'appartement. L'entrée au plafond voûté était inondée de lumière. Elle donnait à gauche sur une vaste salle de séjour avec une cheminée. Laurie s'arrêta pour admirer la vue.

« Hello, Laurie. »

Elle sursauta en entendant la voix. « Hello. Je croyais qu'il n'y avait personne, dit-elle nerveusement. Vous êtes le propriétaire ?

– Absolument pas. »

Il vit avec un plaisir pervers qu'elle avait remarqué son revolver.

C'était pour elle un parfait inconnu, mais elle était absolument certaine que c'était lui qui l'avait poussée l'autre soir. La cinquantaine. L'apparence d'un homme qui avait fait du sport autrefois, mais qui s'était laissé aller par la suite.

Son instinct de survie lui dicta de parler calmement tout en levant lentement les mains. « J'ignore ce que vous voulez, mais nous pouvons en parler d'abord », dit-elle en s'efforçant de masquer le tremblement de sa voix. « C'était vous devant le piano-bar lundi soir, n'est-ce pas ? C'était bien vous ? » Elle tentait de se raccrocher au moindre indice, de comprendre le lien entre cet homme et l'affaire Martin Bell. « Est-ce que vous travaillez avec Joe Brenner ? Il vient d'être arrêté. Il va probablement négocier une remise de peine avec le procureur. Vous pourriez faire partie des négociations. Et si c'est Leigh Ann Longfellow qui vous a engagé, sachez qu'elle aussi a été arrêtée. Vous pourriez bénéficier d'une immunité totale, si vous témoignez contre elle.

— Je ne comprends rien à ce que vous racontez, dit-il en regardant autour de lui avec admiration. Vous avez acheté cet endroit ? Il doit coûter une fortune.

— Non, dit-elle vivement. J'ai rendez-vous avec un agent immobilier. C'est la première fois que je mets les pieds dans cet appartement. Laissez-moi partir, je vous en prie. »

Le regard de l'homme alla de la cuisine à la salle de séjour. Il venait ici pour la première fois lui aussi, c'était évident. Il connaissait son nom. Il était là pour elle, pas pour l'appartement. Alex et Rhoda allaient bientôt arriver. Il fallait continuer à le faire parler.

« Vous me connaissez par mon émission ? » demanda Laurie, cherchant désespérément à comprendre pour quelle raison il la prenait pour cible.

« Une productrice de télévision n'a pas les moyens de se payer un appartement aussi luxueux, dit-il. C'est le célèbre Alex Buckley qui mène une existence de rêve. Grande notoriété. Super nouveau job. Première page du *New York Times* quand il a été nommé juge. Et pour couronner le tout, une ravissante nana qu'il va épouser bientôt. Mais ça n'arrivera pas. Dommage. »

Entendre le nom d'Alex dans la bouche de cet homme la tétanisa. *Qu'est-ce qu'Alex vient faire dans tout ça ?* Laurie le savait en contact avec des individus peu recommandables, prêts à tout pour défendre leurs secrets, mais il s'agissait d'autre chose aujourd'hui, elle le sentait. Elle ignorait qui était cet homme, mais il avait l'intention de s'en prendre à elle. Ça ne faisait aucun doute.

Ramon ralentit et s'arrêta devant l'immeuble. Alex s'avança vers le comptoir du portier. « Bonsoir. Je suis Alex Buckley. Je pense que notre agent immobilier, Rhoda Carmichael, vous a parlé de nous. J'ai rendez-vous avec elle et ma fiancée pour visiter un appartement au quinzième étage. »

Le portier se décomposa. « Une jolie jeune femme est déjà montée, et son mari l'a rejointe quelques minutes plus tard.

– Son mari ? s'exclama Alex. Cette jeune femme vous a dit son nom ? »

Le portier saisit une carte sur son bureau.

« Elle m'a donné ceci. Elle s'appelle Laurie Moran.

– Vous dites que quelqu'un d'autre est monté à l'appartement ? demanda Alex, en proie à la plus grande panique.

– Oui, il a dit qu'il était son mari. J'ai été surpris, il n'avait pas l'air d'être son genre. »

Alex se précipitait déjà vers l'ascenseur. Une fois à l'intérieur, il appela Leo, priant pour que la connexion ne s'interrompe pas durant la montée. « Un type qui prétend être son mari a suivi Laurie dans l'appartement. 230 85ᵉ Rue Est, quinzième étage. Je suis dans l'ascenseur. Envoyez des renforts. »

Leo raccrocha sans dire un mot.

L'ascenseur s'arrêta au quinzième étage. Alex en sortit. La porte de l'appartement n'était pas complètement fermée. Il s'avança très lentement et vit Laurie à l'intérieur les mains en l'air, en train de parler à un homme qui lui tournait le dos et disait :

« Votre heure est venue, Laurie. Dites vos prières. »

En l'espace d'une seconde, Laurie vit défiler les bribes d'un avenir dont elle serait exclue. Les images étaient aussi réelles que si elle les avait vécues. Alex ou Rhoda découvrirait son corps en arrivant. Leo et Alex en annonceraient la nouvelle à Timmy. Timmy irait se réfugier dans sa chambre et pleurerait, le visage enfoui dans son oreiller pour que personne ne l'entende.

Dans son testament, elle nommait Leo tuteur légal de Timmy si elle venait à disparaître. Alex ferait-il encore partie du paysage quand elle ne serait plus de ce monde ? Elle voulait l'espérer. Il deviendrait l'oncle honoraire de son fils et non son beau-père.

Le mobile de son assassinat serait-il jamais éclairci ? Elle imaginait Ryan Nichols prenant en charge *Suspicion* – peut-être avec Jerry comme assistant. Le meurtre dont elle était la victime serait-il considéré comme un sujet prioritaire ? Peut-être pas.

Elle imagina Timmy diplômé. Marié. Père d'une petite fille qu'il baptiserait peut-être Laurie.

Tout se déroula devant ses yeux en une fraction de seconde. Et c'est seulement alors qu'elle se rendit compte qu'elle avait déjà vécu un scénario similaire. Greg avait été assassiné d'une balle dans la tête en pleine journée par un tueur connu sous le nom de « Z'yeux Bleus », suivant la description qu'en avait fournie le tout jeune Timmy. Pendant des années, elle avait cru que le meurtrier était un dangereux inconnu que Greg avait côtoyé quand il était médecin urgentiste à l'hôpital Mount Sinai.

Mais il s'était avéré que « Z'yeux Bleus » était un sociopathe qui n'avait jamais rencontré le Dr Greg Moran. Son ressentiment de longue date se focalisait sur quelqu'un d'autre – le commissaire de police Leo Farley. Pour ruiner la vie de Leo, l'homme avait projeté de tuer tous ses proches, en commençant par Greg. Laurie et Timmy devaient suivre.

Elle regarda droit dans les yeux l'homme qui pointait son arme sur elle et comprit qu'elle avait vu juste. Ce n'était pas contre elle qu'il nourrissait des griefs. Mais contre Alex.

Elle connaissait Alex depuis moins de deux ans, mais ils n'avaient aucun secret l'un pour l'autre. Elle lança un nom au hasard.

« Cela concerne Carl Newman, n'est-ce pas ? » demanda-t-elle. C'était le nom du banquier d'affaires qui avait dépouillé ses clients de centaines de millions de dollars en montant un système de Ponzi. « Même Alex a été surpris par son acquittement. D'autres avocats se seraient pavanés. Pas lui.

– Ne prononcez pas son nom ! ordonna l'homme en tendant le bras pour la menacer de plus près.

– Je vous en prie. J'ai un petit garçon. Son père est mort. Il a besoin de moi.

– J'avais une famille, moi aussi. Je l'ai perdue, cria-t-il. J'étais riche et je n'ai plus rien. Et le type qui m'a ruiné s'en est tiré grâce à votre cher Alex Buckley. »

Laurie vit la porte de l'appartement s'ouvrir lentement dans le dos de son agresseur.

« Vous êtes une victime de Newman, c'est ça ? » demanda-t-elle, s'efforçant de se souvenir du nom des victimes qui s'étaient opposées avec acharnement à la nomination d'Alex. Son fiancé lui avait dit qu'en dépit de l'importance des sommes en jeu, la plupart des victimes n'avaient perdu qu'une partie de leur héritage ou qu'un pourcentage relativement minime de leur fortune. Seuls quelques-uns avaient perdu la quasi-totalité du fruit de leurs années de travail. En regardant l'individu qui se tenait devant elle, un nom lui vint à l'esprit : Willie Hayes, le fils d'un homme à tout faire et d'une blanchisseuse, un entrepreneur qui s'était fait lui-même et avait confié tous ses avoirs à Carl Newman après la naissance de son enfant pour découvrir, six ans plus tard, qu'il avait tout perdu.

« Êtes-vous Willie Hayes ? » L'expression de son visage lui montra qu'elle avait vu juste. « S'il vous plaît, racontez-moi votre histoire. J'ai une émission de télévision. Carl Newman a été acquitté par une cour fédérale, mais l'État pourrait déclencher une nouvelle procédure si nous apportions de nouveaux éléments.

– Rien de tout ça ne me ramènera en arrière, dit-il. J'avais tout, et j'ai tout perdu. Un loft à Tribeca, une maison de campagne au nord de l'État. Une femme. Un fils. L'amour. J'ai fait faillite. Les maisons, les comptes bancaires, les voitures – tout a été saisi. Ma femme et mon fils sont partis. Alex Buckley ne mérite pas d'être heureux. »

Il l'avait épiée pendant qu'elle fêtait ses fiançailles avec ses amis. Jamais il n'avait été intéressé par son ordinateur, ni par ses notes. Il lui en voulait parce qu'elle célébrait la vie qu'elle allait partager avec Alex.

« Je vous en prie, dit-elle d'une voix tremblante. Je n'ai rien à voir avec tout ça. Mon travail consiste à rouvrir des affaires classées pour que justice soit rendue à des gens soupçonnés à tort. J'ai un fils, moi aussi. Quel âge a le vôtre ? J'élève Timmy seule depuis que son père a été tué. »

Pendant qu'elle parlait, Alex s'approchait d'eux sur la pointe des pieds. Dans le lointain, le hurlement d'une sirène de police couvrit l'imperceptible crissement de ses semelles sur le parquet.

« La ferme ! hurla soudain Hayes. Vous… Vous n'êtes rien pour moi. Si vous voulez accuser quelqu'un, accusez Alex Buckley. C'est lui qui a obtenu ce job de rêve, lui qui est protégé par le tribunal, lui que la police va équiper d'alarmes sophistiquées dans son appartement. Vous êtes ma seule façon de l'atteindre. »

Elle ouvrit la bouche, cherchant quoi répondre. Elle aurait aimé qu'il y ait un minimum de meubles dans cet appartement, un canapé derrière lequel elle aurait pu plonger s'il se mettait à tirer. Ils étaient face à face. Il s'avança vers elle, l'arme dirigée vers sa poitrine.

66

« MAINTENANT, Laurie Moran, vous allez payer pour votre petit copain. »

Terrifiée, Laurie entendait sa respiration désordonnée, haletante. Elle vit le doigt de l'homme se déplacer imperceptiblement sur la détente. Le silence fut rompu par un bruit dans son dos.

« Hé, Willie. C'est moi que vous cherchez ! »

Willie se retourna brusquement dans la direction de la voix. Son pistolet se déporta légèrement vers la gauche, cessant une seconde de menacer Laurie qui en profita pour s'élancer vers lui et lui saisir le poignet. Il résista et tenta de dévier le pistolet vers elle. Alors qu'ils luttaient pour le contrôle de l'arme, un coup partit et la balle alla se loger dans le plafond. Willie poussa un grognement au moment où Alex l'empoignait par-derrière, lui plaquant les deux bras le long du corps. Mais il était toujours armé. Laurie glissa ses doigts autour de son index, le tordit et son assaillant lâcha prise avec un cri de douleur. Le pistolet tomba sur le sol dans un cliquetis métallique. Laurie se rua pour le ramasser. Elle prit la position du tireur, les deux bras en triangle, visant le torse de Willie, exactement comme le lui avait enseigné son père quand elle était au lycée.

Alex maintenait toujours les bras de l'homme plaqués contre son corps. « Pourquoi ? Pourquoi, Willie ? demanda-t-il. Cela ne vous rendra pas votre ancienne vie. Désormais, c'est en prison que votre fils vous rendra visite. »

Cet instant de compassion pour la victime de son client fut bref. Alex s'élança derrière Laurie et lui entoura la taille tandis qu'elle continuait à tenir Willie en joue.

Au bout de ce qui lui parut être une éternité, un groupe de policiers entra en trombe dans l'appartement et elle baissa son arme. Alex la prit dans ses bras et la serra, détournant son visage de Willie Hayes qui leur jetait un regard assassin pendant qu'on lui passait les menottes.

Quand Alex la lâcha enfin, il la regarda dans les yeux avec tristesse. « Je sais que tu as eu du mal à m'accepter dans ta vie, et maintenant tu es en danger à cause de moi. Je comprendrais que tu changes d'avis. »

Elle sentit les larmes lui monter aux yeux et secoua la tête avec force. « Non, jamais. Quand je l'ai vu devant moi avec son pistolet, je n'ai eu qu'une seule pensée : je voulais vivre avec toi, profiter de la vie merveilleuse que nous allions avoir ensemble. Je t'aime encore davantage.

– Oh, Laurie ! Je ne te laisserai jamais partir. »

Elle murmura : « Je me marierais ici même, à l'instant, si c'était possible. »

Puis elle s'appuya contre lui, soudain à bout de forces, subissant le contrecoup de ce qu'elle venait de vivre.

Ils se retournèrent en entendant des éclats de voix derrière eux dans l'entrée. C'était Rhoda Carmichael qui essayait de forcer le passage. Un policier déroulait un rubalise autour de la scène du délit. Les apercevant, elle leur cria : « Que se passe-t-il ? Désolée d'être en retard. La circulation était *démente*. Mais ce n'est pas le problème, on dirait. Qu'est-il arrivé ?

– Ce qui se passe, répondit Alex, c'est que je veux sortir Laurie d'ici. Je vous appelle demain. »

Laurie regardait autour d'elle sans bouger. Le peu qu'elle avait vu de l'appartement était magnifique. S'ils l'achetaient, seraient-ils toujours hantés par le souvenir de Willie Hayes pointant son pistolet sur elle ? Peut-être. Peut-être pas.

La police avait fini par laisser Rhoda entrer. Elle se précipita vers eux et essaya de plaisanter. « Je n'aurais jamais cru que quelqu'un tenterait de vous tuer pour avoir cet appartement ! »

Ni Laurie ni Alex n'esquissèrent le moindre sourire.

67

Deux semaines plus tard

LAURIE regardait Ryan Nichols qui faisait face à
l'objectif d'un air grave. « On disait de Daniel et
Leigh Ann Longfellow qu'ils personnifiaient le rêve américain – un couple magnifique, aimé du public, et capable
de rassembler une nation divisée grâce à la popularité de
leurs opinions politiques, leurs états de service impeccables
et leur charme personnel. Ce soir, nous reviendrons en
détail sur les événements stupéfiants qui ont conduit à
l'arrestation de Leigh Ann pour meurtre, et au combat
de Daniel pour la survie de sa carrière politique. »

Fidèle à lui-même, Brett Young avait annoncé la date
de diffusion du prochain épisode vingt-quatre heures seulement après l'arrestation de Leigh Ann. Quand Laurie
lui avait fait remarquer qu'ils n'avaient même pas commencé à monter les rushes, il avait répliqué avec un clin

d'œil : « Rien de tel qu'une date butoir pour motiver votre équipe. »

Ils avaient travaillé non-stop pendant deux semaines d'affilée, et en avaient presque fini avec la production. Ils avaient gardé l'introduction de Ryan et la conclusion pour la fin, afin de pouvoir y inclure les éléments nouveaux qui leur étaient communiqués au fur et à mesure.

Brenner n'échapperait pas à la prison, accusé de chantage et de menaces contre les personnes d'Ann Leigh Longfellow et de Kendra Bell. Le témoignage de Kendra lui serait fatal. Et, ironie du sort, l'enregistrement de sa rencontre avec Leigh Ann avouant le meurtre de Martin Bell n'était pas le « billet de sortie de prison » qu'il cherchait depuis longtemps. Ce n'était qu'une preuve supplémentaire de ses agissements de maître chanteur.

Leigh Ann n'avait aucune chance de s'en sortir à l'issue du procès. Il y avait l'enregistrement de Brenner, et l'expertise avait prouvé que le 9 mm en sa possession à Randall's Island était bien l'arme du meurtre de Martin Bell. Tellement sûre de passer à travers les mailles du filet, elle n'avait même pas pris la peine de la faire disparaître. Son cabinet d'avocats, qui avait couvert les paiements à Brenner, risquait d'être inquiété, et elle-même passerait sans doute le restant de ses jours en prison.

Entre ses plages de préparation de l'émission, Laurie avait témoigné la semaine précédente devant le grand jury pour appuyer les charges de vol et de tentative d'assassinat portées contre Willie Hayes. Il avait déclaré qu'il voulait seulement que Laurie écoute sa version de l'histoire, en espérant qu'elle mettrait fin à sa relation avec Alex. Mais la balle logée dans le plafond de l'appartement de Manhattan racontait une tout autre histoire. Peut-être n'arriverait-on jamais à prouver que c'était lui qui avait agressé Laurie devant le piano-bar, mais il passerait des années derrière les barreaux, lui aussi.

Ryan jeta un regard agacé vers la porte du studio en entendant frapper. La lumière rouge allumée dans le couloir indiquait pourtant que personne ne devait les déranger. Une seconde plus tard, la porte s'ouvrit : c'était Jerry. « Navré les amis, mais nous allons être obligés de revoir notre copie. Daniel Longfellow fait une conférence de presse dans cinq minutes. »

Grace, Jerry, Ryan et Laurie s'assirent à la table de conférences du bureau de Laurie, et regardèrent le sénateur Longfellow s'avancer devant les caméras. Pendant ces deux semaines, il n'avait fait aucune déclaration concernant l'arrestation de sa femme, à l'exception de platitudes du genre : « Je continuerai à me consacrer au peuple américain », « Je coopérerai avec les forces du maintien de l'ordre », « Je fais confiance au système judiciaire le plus performant du monde », etc. La sphère politique s'offusquait qu'il n'ait pas été arrêté et continue d'exercer ses fonctions.

Laurie n'avait pas revu Longfellow depuis l'arrestation de Leigh Ann. Il semblait avoir perdu cinq kilos, et avait vieilli de dix ans.

« Il y a cinq ans, j'ai déclaré à la police que ma femme, Leigh Ann Longfellow, m'avait accompagné à Washington où je devais rencontrer des dirigeants politiques avant d'occuper temporairement un poste vacant au Sénat. C'était un mensonge. Je le croyais sans conséquence à l'époque, et je pourrais tenter d'expliquer pourquoi je l'ai commis, mais ça n'a plus d'importance. C'était un pur mensonge, et en tant que tel, condamnable. Je n'ai jamais soupçonné l'implication de ma femme dans le meurtre du Dr Bell. En fait, lors de la première enquête, je pensais que c'était sur moi que pesaient les soupçons. Ils ont d'abord interrogé Leigh Ann, et elle leur a affirmé qu'elle se trouvait avec moi à Washington. À ce moment-là, j'étais face à un dilemme : soit je répétais sa version des événements, soit je leur disais que la femme que j'aimais leur avait menti en voulant prendre ma défense. Je me savais innocent et j'avais un alibi en béton, je n'ai donc pas cru mal faire en protégeant ma femme. Je jure devant vous, le peuple américain, qu'il ne m'est jamais venu à l'idée qu'elle mentait pour se fabriquer un alibi. Nous sommes un État de droit, et je n'ai pas rempli une des obligations que nous devons tous respecter en tant que citoyens. Je vais maintenant écouter mes amis, les conseillers en qui j'ai confiance, et, plus important, vous, mes électeurs, pour décider de mon avenir. Quoi qu'il arrive, je promets de coopérer avec la justice dans les poursuites en cours contre ma femme – sa voix s'étrangla – et de ne jamais trahir à nouveau la confiance du peuple. Enfin, je veux présenter mes plus sincères excuses aux parents de Martin Bell, Cynthia et Robert ; à ses enfants, Bobby et Mindy ; et à sa veuve, Kendra Bell, qui a subi pendant de longues années le poids de soupçons totalement injustifiés. Je sais que ma déloyauté et ma lâcheté ont empêché la vérité d'éclater au grand jour, et je vivrai le restant de mes jours avec ces remords. »

Lorsqu'il quitta l'estrade sans répondre aux questions, Jerry éteignit la télévision.

« À mon avis, c'est une question de jours, voire d'heures, avant qu'il donne sa démission, dit-il.

– Pas sûr, objecta Laurie. J'ai entendu ce matin un panel d'experts dire qu'il était possible qu'il s'en tire, après tout. Beaucoup de ses partisans souhaitent le voir rester à son poste. »

Une fois seule, Laurie appela Kendra sur son portable. Elle commença par s'excuser de l'appeler à son bureau. « Je voulais m'assurer que vous étiez au courant de la conférence de presse de Longfellow.

– Vous plaisantez ? Stephen a allumé la télévision dans la salle d'attente. J'ai passé deux semaines à essayer d'expliquer à mes enfants pourquoi la femme de leur sénateur avait voulu s'attaquer à leur père, mais vous ne pouvez pas savoir à quel point cela fait du bien d'être enfin innocentée. » Elle baissa la voix : « Une des vieilles harpies qui me prenaient de haut a été jusqu'à m'embrasser en s'excusant d'avoir douté de moi. Je revis. Stephen va passer ce soir pour fêter ça. Je lui ai toujours été reconnaissante de son amitié fidèle mais je me rends compte aussi qu'il est le seul à n'avoir jamais douté de mon innocence.

– Avez-vous eu des nouvelles de Robert et de Cynthia ? » Laurie avait parlé aux parents de Martin la semaine précédente. Elle avait senti qu'ils s'en voulaient de leur attitude à l'égard de Kendra, mais le couple ne reconnaissait pas facilement ses erreurs.

« Nous sommes allés les voir le week-end dernier dans leur maison de campagne. J'ai hésité à accepter leur invitation, mais Caroline m'a persuadée de leur donner une chance de se comporter comme de vrais grands-parents. Ils se sont montrés très aimables avec moi, figurez-vous. Et, plus important, j'ai pu voir combien ils aimaient Bobby et Mindy – à leur manière un peu guindée, bien sûr », ajouta-t-elle avec un petit rire. « Même Caroline semble… soulagée. Je n'ai pas été la seule à porter le fardeau du meurtre de Martin pendant toutes ces années. Quoi qu'il en soit, beaucoup de choses ont changé pour toute la famille, et c'est à vous que je le dois. »

Il y avait un soupçon de joie dans la voix de Kendra. De bonheur, peut-être. Après la mort de Greg, il avait fallu six ans à Laurie pour envisager de partager sa vie avec quelqu'un d'autre. Kendra Bell n'en était pas loin.

Laurie la félicita à nouveau et promit de l'appeler une fois l'émission terminée. Elle venait de raccrocher quand son téléphone vibra. C'était un texto d'Alex.

Nous sommes en bas.

Dehors, une voiture noire attendait. Timmy bondit de la banquette arrière, serra très fort sa mère dans ses bras, puis s'installa à l'avant à côté de Ramon tandis que Laurie prenait place auprès d'Alex.

« Il devait quand même y avoir un moyen de faire plus simple », dit Laurie. Ramon était allé chercher Timmy à son école, puis était descendu jusqu'au tribunal fédéral en bas de la ville pour prendre Alex. Il était ensuite remonté pour retrouver Laurie.

Timmy se retourna vers elle avec un large sourire. « Ça ne fait rien, maman. Ramon aime beaucoup m'avoir avec lui. On écoute du jazz et je lui parle des musiciens.

— Et de temps en temps je lui fais entendre mes airs de hip-hop préférés, ajouta Ramon. Et maintenant où allons-nous ? »

Ni lui ni Timmy n'étaient dans la confidence. Alex donna à Ramon l'adresse d'un immeuble dans la 85e Rue entre la Troisième et la Deuxième Avenue.

Quand ils descendirent de la voiture, Timmy et Ramon suivirent Alex et Laurie jusqu'à l'ascenseur. Rhoda les attendait devant la porte. Elle appuya sur le bouton du quinzième étage et sortit la première, soulagée de voir que le ruban qui barrait l'entrée de l'appartement avait été ôté, comme promis.

« Le propriétaire est sur le point d'accepter notre offre », dit Alex avec chaleur en se tournant vers Timmy, « mais avant de conclure, nous voulions être sûrs que Ramon et toi vous vous sentiriez bien ici. Sinon, on continue à chercher. »

Cinq minutes plus tard, c'était officiel. Ils habiteraient tous dans ce lieu sublime.

« Cette recherche d'appartement fera une super anecdote à raconter dans les dîners », dit Alex en signant les derniers papiers sur le comptoir de la cuisine.

Laissant Ramon et Timmy regagner la voiture, Laurie et lui jetèrent un dernier coup d'œil à leur future demeure, admirant les moulures du haut plafond de l'entrée. Laurie prit la main d'Alex dans la sienne. « Pense à tous les souvenirs que nous allons construire ensemble. »

Elle imaginait déjà le petit bout de chou qui grandirait peut-être dans la chambre voisine de celle de Timmy.

REMERCIEMENTS

Une fois encore, je suis convaincue que ma décision de choisir pour coauteur ma consœur romancière Alafair Burke ne pouvait être meilleure. Nos efforts conjoints nous ont permis de résoudre une affaire criminelle de plus.

Marysue Rucci, éditrice en chef de Simon & Schuster, nous a fourni comme toujours les avis les plus perspicaces tout au long de la rédaction de cette histoire.

Mon équipe maison est toujours vaillamment en place. Il y a mon irremplaçable mari, John Conheeney, et l'« Équipe Clark », les membres de la famille qui jour après jour lisent et me donnent conseils et informations. Avec eux à mes côtés, faire naître des mots sur la page m'est plus facile.

Et vous, mes chers lecteurs. Cette fois encore, vous êtes dans mes pensées quand j'écris. Vous m'êtes aussi chers que ceux qui achetèrent mes premiers romans en 1975 et donnèrent le départ d'un voyage de toute une vie.

LA NUIT EST MON ROYAUME
RIEN NE VAUT LA DOUCEUR DU FOYER
DEUX PETITES FILLES EN BLEU
CETTE CHANSON QUE JE N'OUBLIERAI JAMAIS
LE ROMAN DE GEORGE ET MARTHA
OÙ ES-TU MAINTENANT ?
JE T'AI DONNÉ MON CŒUR
L'OMBRE DE TON SOURIRE
QUAND REVIENDRAS-TU ?
LES ANNÉES PERDUES
UNE CHANSON DOUCE
LE BLEU DE TES YEUX
LA BOÎTE À MUSIQUE
LE TEMPS DES REGRETS
NOIR COMME LA MER
DERNIÈRE DANSE

En collaboration avec Carol Higgins Clark

TROIS JOURS AVANT NOËL
CE SOIR JE VEILLERAI SUR TOI
LE VOLEUR DE NOËL
LA CROISIÈRE DE NOËL
LE MYSTÈRE DE NOËL

Avec Alafair Burke

L'AFFAIRE CENDRILLON
LA MARIÉE ÉTAIT EN BLANC
LE PIÈGE DE LA BELLE AU BOIS DORMANT
LA REINE DU BAL